小説
弱虫《よわむし》ペダル
7

原作
渡辺航
ノベライズ
輔老心

岩崎書店

弱虫ペダル⑦ 目次

登場人物《とうじょうじんぶつ》

今泉俊輔《いまいずみしゅんすけ》

自転車競技《きょうぎ》に命をかける、毎日ストイックに走り続ける高校一年生。中学時代は県内《けんない》でも有名なレーサーだった。坂道の走りに関心《かんしん》を持っている。

小野田坂道《おのださかみち》

ママチャリで往復《おうふく》九十キロの秋葉原《あきはばら》への道のりを毎週欠《か》かさず通う高校一年生。自転車に自分の可能性《かのうせい》があるなら、と千葉県《ちばけん》一強い自転車競技部《きょうぎぶ》に入部する。

鳴子章吉《なるこしょうきち》

自転車と友だちを大事にする関西《かんさい》出身のレーサー。浪速《なにわ》のスピードマンの異《い》名《みょう》を持つ高校一年生。坂道のよきアドバイザーでもある。

総北《そうほく》高校自転車競技部《きょうぎぶ》 三年生

主将《しゅしょう》

金城真護《きんじょうしんご》

田所《たどころ》　迅《じん》

巻島裕介《まきしまゆうすけ》

京都伏見《きょうとふしみ》高等学校

御堂筋《みどうすじ》　翔《あきら》

箱根学園《はこねがくえん》自転車部

真波山岳《まなみさんがく》

箱根《はこね》の山道で坂道と出会う。箱根学《はこねがく》園《えん》の一年生。

主将《しゅしょう》

福富寿一《ふくとみじゅいち》

荒北靖友《あらきたやすとも》

前回までのあらすじ

箱根《はこね》を舞台《ぶたい》に行われている「インターハイ」。初優勝《はつゆうしょう》をめざす千葉県《ちばけん》代表、総北高校自転車競技部《そうほくこうこうじてんしゃきょうぎぶ》の初心者《しょしんしゃ》レーサー小野田坂道《おのださかみち》は、なんたることか、途中《とちゅう》でころんで最下位《さいかい》になってしまった。ひじやひざをすりむいてボロボロになったけれど、そこからがんばって百台をぬき、先頭《せんとう》近くを走るチームに合流。チームのクライマー巻島裕介《まきしまゆうすけ》がスパートし、ライバル箱根学園《はこねがくえん》の東堂尽八《とうどうじんぱち》と死闘《しとう》をくりひろげる。そして、この二人の闘《たたか》いに決着をみると、レースはいよいよ芦ノ湖《あしのこ》湖畔《こはん》の一日目ゴールをめざして、最後《さいご》のバトルステージに入った。

総北高校は坂道にチームをまかせて、「エース」の金城真護《きんじょうしんご》と「エースアシスト」の今泉俊輔《いまいずみしゅんすけ》がアタックする作戦に出る！　運命の一日目、勝つのは優勝候補《ゆうしょうこうほ》の箱根学園か、総北高校か、はたまた第三の刺客《しかく》が現れるのか――。

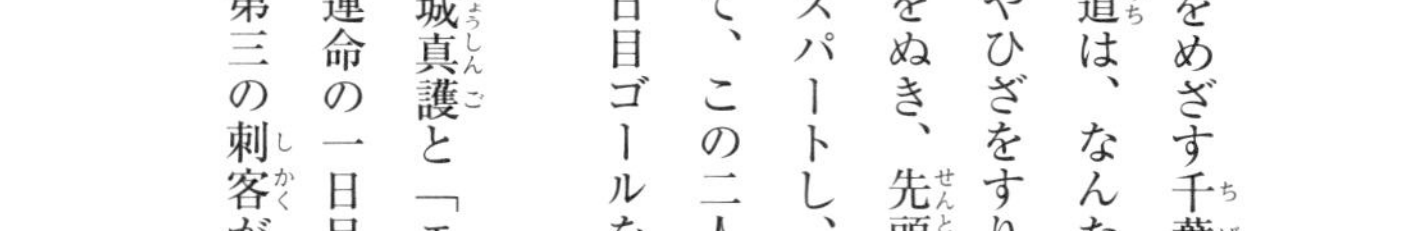

はじまる前に

この巻《かん》では、インターハイの初日のレースが、ゴール前に向かっているところ。

ここでの自転車の高校日本一を決めるインターハイの流れは、

・三日間かけて行われる。
・毎日、朝にスタートして、夕方前にゴールする。
・一日目は、江ノ島《えのしま》から百二十台がいっせいにスタート。
・つぎの日からは、前日のタイム差《さ》の順《じゅん》に、秒数《びょうすう》をあけてスタート。
・とちゅうでこけて、けがをして走れなくなったらリタイアになる。
・三日目の最後《さいご》のゴールでトップだった選手《せんしゅ》が総合優勝《そうごうゆうしょう》。
・ゴールをねらうのは、各チームの最強選手《さいきょうせんしゅ》「エース」だ。

これらを頭のかたすみにおいておけば、インターハイがより楽しめるよ。

本書は、秋田書店刊の『弱虫ペダル』をもとに小説化したものです。文章化するにあたり、台詞など一部改めています。

第一章

今泉《いまいずみ》VS荒北《あらきた》

エースが出る

神奈川県箱根町《かながわけんはこねまち》。

レースはインターハイ一日目の終盤《しゅうばん》をむかえた。

はぁ、はぁ、はぁ、はぁ、はぁ

集団《しゅうだん》の先頭《せんとう》は小野田坂道《おのださかみち》のいる総北《そうほく》高校。坂道は落車《らくしゃ》して最下位《さいかい》になりながら、百人をぬいて、トップ集団に追いついたのだった。

力強くペダルをふみこむ小野田坂道。太ももの力がペダルに伝わり、チェーンをたどって後輪《こうりん》へ、そして、タイヤチューブがアスファルトをつかんで、自転車を前に運んでいく。

暑い……。

真夏のセミがミンミンと大合唱《だいがっしょう》している。

アスファルトにはり出した木々《きぎ》の下はすずしいが、日の当たる路面《ろめん》はそのまぶしさにくらっとするほどだ。坂道は全身、あせでびしょぬれで、まるで水の中で自転車をこいでいるような気分だった。

坂道のあとには今泉俊輔《いまいずみしゅんすけ》、金城真護《きんじょうしんご》、田所迅《たどころじん》、鳴《なる》子《こ》章吉《しょうきち》の四台が続《つづ》いている。

鳴子はアゴの先から、あせをしたたらせている。

坂道はスタートからのことを思い返していた。

スタートから六十キロ、あっという間のようで、長い旅《たび》のようだった。


まず、スタートして、海ぞいの道では、総北《そうほく》高校の鳴子《なるこ》と田所の二人のスプリンターががんばってリザルトラインをトップ通過《つうか》。レース全体の主導権《しゅどうけん》をにぎった。

そして、山道に入ってからは、先頭《せんとう》でチーム全体を引っぱるはずだった坂道が、よもやの落車《らくしゃ》。代わりに巻島裕介《まきしまゆうすけ》がチームを引っぱった。

坂道は道路のミゾを走る作戦を考え、百人をぬいて、チームに追いついた。それを待って巻島がスパートし、先を行く箱根学園《はこねがくえん》の東堂尽八《とうどうじんぱち》を追いかけたが、僅差《きんさ》で二番になった。


巻島の結果《けっか》を聞いた坂道は「……あ、二位ですか、ざ、残念《ざんねん》でした」とつぶやいたが、田所が「バッカヤロウ。東堂にタイム差《さ》、コンマ数《すう》秒《びょう》の差だ。三分おくれていたのに、追いついて、巻島はギリギリのたたかいをしたんだよ」と言った。

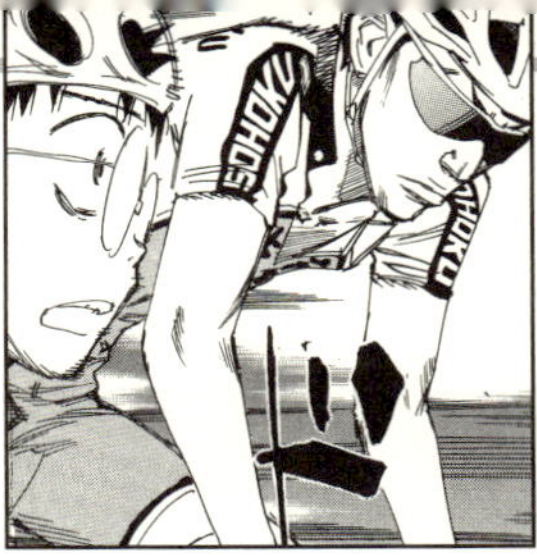

そのとき、「そうだ、巻島は最高《さいこう》の仕事をしてくれた」と言いながら
金城《きんじょう》が小野田にならんだ。

「小野田！」

とよばれ、坂道はビクッとした。

「このまま鳴子と田所を連れて、途中《とちゅう》、巻島を回収《かいしゅう》し、あとはできうるかぎり速《はや》く確実《かくじつ》に走れ」

「はいっ」

金城は、坂道に話し終えると、最後《さいご》にこう言った。

「それが、今日の最終作戦《ラストオーダー》だ！」

坂道は、最終作戦《ラストオーダー》という言葉を聞いて、ぞくっとした。

金城《きんじょう》の目がサングラスごしにもするどく光るのがわかった。これまで見たことのないような強い目だ。

すでに六十キロは走ってきた。ゴールまで、あと四キロ。つかれてはいるが、まだスタミナはある。

大レースは初めてながら、坂道は「レースの流れ」が少しわかってきたような気がした。

自転車のロードレースとは、選手《せんしゅ》一人ひとりが、それぞれの得意《とくい》な場所で力をはっきして、それをチームの中でうまくつなげながら、バトンをわたしてリレーするようなものなのだ。

最終局面《さいしゅうきょくめん》は各チーム、エースの出番《でばん》だ。

ステージはレース一日目の最終《さいしゅう》ゴールを目指す闘《たたか》いに突入《とつにゅう》するのだ。

突然《とつぜん》、箱根学園《はこねがくえん》のエースが前に出た。

空気が変わる……!!　なにかがおこる!!

と坂道は感じた。

田所がそばに来て坂道に言った。

「山岳《さんがく》リザルトが決まった。オレがスプリントを取ったが、これはすべて一日目のゴールをとるため、と言っていい。

あと残り四キロでゴールだ。

ここからが本当の勝負《しょうぶ》だ。そして、最後のラインをやぶるのはエースの役目《やくめ》だ!!」

「今泉《いまいずみ》!」

金城は、今度は今泉に声をかけた。

「行くぞ、今泉《いまいずみ》」
「はい‼」

青い自転車にまたがる今泉は、やっと出番《でばん》がきたかとばかりに大きな声で返事《へんじ》をした。

「今泉くんも出るんだ‼」と坂道はおどろいた。

「リミッターをはずせ、ここから先は全力で走っていい。オレはおまえのうしろにつく。引け！」と金城《きんじょう》が指示《しじ》を出す。

「はい‼」

「とるぞ、ゴール。ここまで役割《やくわり》をはたしてくれた田所と巻島《まきしま》、小野田、そして鳴子《なるこ》、みんなの想《おも》いをぜったいにむだにするな」

「はい‼」

「引け、道をつくれ、今泉」

「はい‼」

「あいつらがつんできた想いを、確実《かくじつ》にゴールにとどけるぞ」

っしゃ――――

今泉が立ちこぎでスパートした。それを風よけに、まうしろに金城がくっついていった。

総北《そうほく》のアタック開始《かいし》だ。

今泉はどんどんとペースを上げ、総北の集団《しゅうだん》から少しずつはなれていく。

それはまるで大気圏外《たいきけんがい》にロケットがとび出していくような速《はや》さだ。

坂道には、今泉《いまいずみ》と金城《きんじょう》が、少し、また少しと遠ざかっていくのが見えている。

今泉がとび出すと、すぐ近くを走っていた青いジャージの箱根学園《はこねがくえん》の選手《せんしゅ》がよゆうのえみをうかべて言った。

「ハッハ‼　みんなの想《おも》いだって？　総北《そうほく》はゆかいなことを言ってくれるね。山岳《さんがく》リザルトもゴールもオレたちのモンだよ‼　だろ‼　福《ふく》ちゃん‼」

福ちゃんこと、福富《ふくとみ》は箱根学園の主将《しゅしょう》だ。

「口がすぎるぞ、荒北《あらきた》。……勝利《しょうり》は強いものが手にする‼　それだけだ‼」

エースアシストの荒北靖友《やすとも》、そして、ゼッケン1を背負《せお》うエースの福富寿一《じゅいち》。二人は総北の選手が動くと、すぐさまスパートをかけた。

それを待っていたかのように……。

ゴァァァァァァァァァァ

総北の今泉－金城、
箱根学園の福富－荒北。

これまで力をためてきたエースたち。いよいよ残している燃料《ねんりょう》に火をつけるときがきたのだ――。

レースの大きな勝負《しょうぶ》どころだ。

とつぜん、登り坂の途中《とちゅう》で速度《そくど》をあげた四台がもうぜんととばしていく。

速《はや》い……！　すごい……!!

これがエースの走り!!

坂道は、初めて感じるエースの走りにおどろいた。

沿道《えんどう》の観客《かんきゃく》がわく。

長い自転車のレースで、この瞬間《しゅんかん》が見られるなんて、ラッキーだ。

「千葉《ちば》、出た!!　171!!　エースナンバー！」

「先行《せんこう》!!」

「速ええ！」

観客がどよめく。

「いや、箱根学園《はこねがくえん》も動いた。みるみる差《さ》をつめるぞ」

「箱根学園エースナンバー〝1〟。残り四キロ、いよいよ始まる……。最後《さいご》のゴール争《あらそ》いだ！」

だれもがその行方《ゆくえ》を追った。

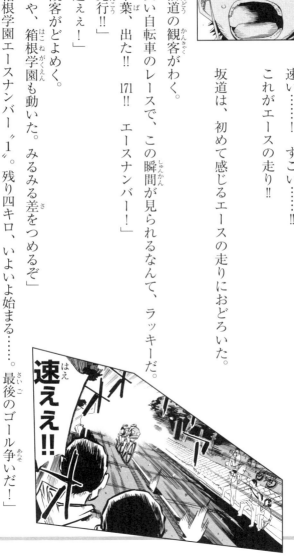

先行《せんこう》

ところ変わって、インターハイ一日目のゴール地点。箱根山の山頂《さんちょう》のカルデラ湖「芦ノ湖《あしのこ》」のほとりの芦ノ湖湖畔駐車場前交差点《こはんちゅうしゃじょうまえこうさてん》にある。

そこには大会本部《たいかいほんぶ》や審判席《しんぱんせき》などのテントが設置《せっち》され、ゴールにだれが一番に入ってくるか、今か今か、と待っている。

ここに、一番に入ってきた選手《せんしゅ》が所属《しょぞく》する学校が一日目の優勝《ゆうしょう》だ。

その大会本部のテントに、ようやく山岳《さんがく》リザルトの結果《けっか》がとどいた。

「山岳リザルトが出たぞ。一位は、箱根学園だーー‼」

と係員《かかりいん》がさけんだ。

「ウオオオオオオオ！」

「東堂《とうどう》さんだ！」

いっこくも早く結果《けっか》を知りたくてテントのまわりに集まっていた箱根学園《はこねがくえん》の補欠部員《ほけつぶいん》たちがよろこぶ。

「いよっしゃあああ！」

「やっぱ山は箱根学園だろ‼」

「さすがだよ、山神《やまがみ》　東堂先輩《とうどうせんぱい》！」

「山神だよ、マジで‼」

「二位は？」

係員《かかりいん》が発表した。

「二位は千葉《ちば》だ、総北《そうほく》。僅差《きんさ》で総北三年巻島裕介《まきしまゆうすけ》」

その声は、総北の補給部隊《ほきゅうぶたい》、手嶋《てしま》と青八木《あおやぎ》、マネージャーの寒咲幹《かんざきみき》の耳にも入ってきた。

かれらもまた、本部《ほんぶ》テントにかけつけてきたところだった。

手嶋がつぶやいた。

「わずかな差《さ》ってことは、巻島さんが山岳《さんがく》のトップ争《あらそ》いにからんだんだ、勝負《しょうぶ》したんだ。チームをだれかにあずけて……」

ミキがえみをうかべた、チームカーを運転する寒咲通司《とおじ》も力強くうなずいた。

手嶋が続《つづ》けて言った。

「——ってことは、はは、あいつ……とんでもねェやつだよ。この大舞台《おおぶたい》で百人ぬいて、本当に追いついたんだ、小野田!!」

手嶋は巻島が山岳リザルトで二位をとったことで、坂道がチームに追いついたことをかくしんしたのだった。

そのころ……。
金城《きんじょう》にリミッターをはずせと言われた今泉《いまいずみ》は、一気《いっき》に先行《せんこう》して、箱根学園に四～五メートル差《さ》をつけた。

ギャン

ガアアアウオオオオ

今日のオレはいつものオレじゃない。

グングンとペダルをふみこみながら、今泉《いまいずみ》は心のおくでつぶやいた。

あまりの速度《そくど》に、木々《きぎ》がどんどん、うしろにすっとんでいく。目のはしのけしきが風にとけている。アスファルトにしかれた白いラインだけを見ながら、今泉はこいでいく。

そして、強く思った。

とる‼　ぜったいに。

鳴子《なるこ》がボロボロになってスプリントを走った。

小野田が信じられない走りでチームを引っぱった。

ふだんならあいつらにはまけたくない――と、このじょうきょうで思うとこだが、
おかしいぜ……今日は、あいつらのためにゴールをとんなきゃっと思ってる……!!

ガラにもねぇ……、

夏の暑さのせいか――。

たぶん、そうだな!!

今泉は、さらに力強くペダルをふんだ。そして、二メートル、箱根《はこね》学園《がくえん》を引きはなした。

「オイ、見ろ。千葉《ちば》が王者箱根学園《おうじゃハコガク》を引きはなしにかかったぞ！」

と沿道《えんどう》の観客《かんきゃく》がさわぐ。

その今泉《いまいずみ》の走りを、箱根学園《はこねがくえん》の福富《ふくとみ》がうしろから冷静《れいせい》に観察《かんさつ》していた。

175番……あいつ……!!

一瞬《いっしゅん》のこちらのふみこみを見のがさなかった。ほんの数秒《すうびょう》、コースをふさいでこちらのタイミングをころした。

頭のいいヤツだ。こうりつよく、かつ冷静《れいせい》に勝ちをねらいにいっている。しかも……一年。

きたえあげたな、金城《きんじょう》!!

エースの闘《たたか》いは、まずは総北《そうほく》がリードした。

一《いっ》騎《き》打《う》ち

登り坂のスパートから、先を行く総北を箱根学園が追うてんかいだ。その差《さ》、十メートル。四台が坂を登っていく。
金城は金城で、冷静にこの先を読んでいた。ペースをみださずにペダルをふみこむ。頭はスッキリとさえわたっている。

ゴールまで残り四キロ。
峠《とうげ》をこえてつづらおりを下れば、あとは平坦《へいたん》になる……。
おそらく残り五分——、五分以内《いない》に決着《けっちゃく》がつく!!
今まで六十キロ以上走ってきたレースの最終局面《さいしゅうきょくめん》で、
みんなにたくされたこのジャージを、だれよりも早く、
ゴールラインにぶちこむのがエースの役目《やくめ》だ!!

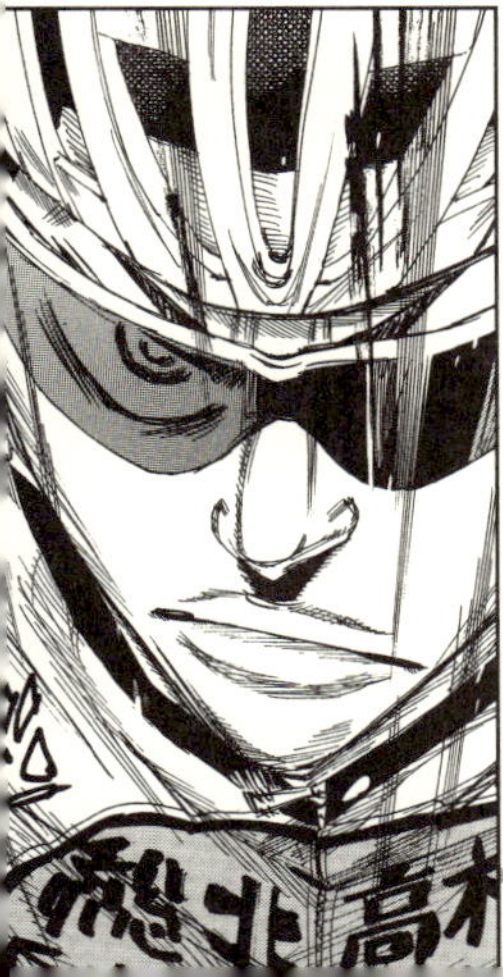

金城《きんじょう》はそこまで計算《けいさん》している。

すぐ前を行く今泉《いまいずみ》に声をかけた。

「今泉、今、チーム総北《そうほく》にはおまえの力が必要《ひつよう》だ。残り四キロ。このままいけるか!?」

「いやあ、実は、さっきから夏の暑さにやられましてね」と今泉が言った。

金城は今泉の言葉をかみしめた。

すると、今泉がふり返って言った。

「イケますよ……!!　当然《とうぜん》。金城さんがついてこれるなら!!」

それを聞いて、金城の顔がほころんだ。

よし、今泉はまだ、よゆうがあると金城はかくしんしたのだ。

「十分だ、今泉!!」
……ふ、口のへらないやつだ、今泉!!
「見えたぞ、山頂《さんちょう》!!」

総北のリードのまま、山頂まで来た。

さっきまで、山岳《さんがく》リザルトをとるために、箱根学園《はこねがくえん》の東堂《とうどう》と総北の巻島《まきしま》がボロボロになるまでデッドヒートをくり広げたところだ。

次《つぎ》に来る集団《しゅうだん》を、今か今かと待ちかまえていた観客《かんきゃく》たちの目に入ったのは、集団ではなく……二台の自転車だった。

「千葉《ちば》が先に来たぞ！」

「神奈川《かながわ》どうしたーーーー!!」

「あと三キロだぞ、がんばれーーーー!!」

「差《さ》が三十……いや五十メートルはついてる!!」

「一気《いっき》に行け、千葉ぁ！」

観客《かんきゃく》から声がかかる。

「神奈川アーーー!!」

「箱根学園《はこねがくえん》!!　追え!!」


レースはこの峠《とうげ》からゴールまであと三キロ。総北《そうほく》と箱根学園の差は五十メートル。先行する総北はこのままにげ切れるか。

先に峠をこえた総北。あとはゴールまではずっと下りだ。一気《いっき》に自転車の速度《そくど》がぶち上がった。

「下りです」

と今泉《いまいずみ》がつげた。

「……」

「落車《らくしゃ》しないでくださいよ!!」

今泉が大声を出した。

ゴォ――――

風切り音が二人の耳もとで鳴《な》っている。

「だれに言ってる!!」

金城《きんじょう》も大声を出した。

ギャン

今泉《いまいずみ》も金城《きんじょう》もシフトレバーにタッチした。登りのこまかいギアはもういらない。だから、いちばん重いギアにシフトチェンジしたのだ。

最高地点《さいこうちてん》まで登ったジェットコースターがレールを下って加速《かそく》するように、スピードがどんどん上がっていく。

「箱根学園《ハコガク》ーーっ、追えーーーーーーっ、このまま行かすなーー」

観客《かんきゃく》が悲鳴《ひめい》をあげる。

ここ箱根《はこね》は箱根学園《はこねがくえん》の地元《じもと》なので応援《おうえん》にも熱が入る。

「下りで差《さ》はつめにくいんだ。このままいったら、一日目の勝者《しょうしゃ》は……」

「総北《そうほく》……」と言いかけた観客の声をべつの客がさえぎった。

「いや……箱根学園だ」

「え、あのリードをまき返すのか？」

観客たちもどちらが先を行くのか、わからなくなっていた。

望遠《ぼうえん》レンズをつけたカメラを下げたファンが解説《かいせつ》を始めた。

「いやオレ、箱根学園ファンでずっとレースを見ているからわかるんだ。箱根学園のエース福富《ふくとみ》は去年の秋から三年の荒北《あらきた》ってヤツと組んでいるんだ。それ以来《いらい》、たくさんのレースに出ているけれど、二人が組んだレースは、全部《ぜんぶ》優勝してるんだ!!」

そう力説《りきせつ》するファンの前を福富と荒北がかっとんでいく――。

荒北《あらきた》

総北に五十メートルはなされた、箱根学園の二人。

しかし、エースの福富はあせったようすがまったくない。いつものように、無表情《むひょうじょう》でふりこのようなせいかくなリズムでペダルをふんでいる。

峠《とうげ》をこえたとき、すぐうしろを走るエースアシストの荒北《あらきた》に声をかけた。

「残り三キロだ。よし出ろ、荒北‼　最終勝負《さいしゅうしょうぶ》だ‼」

ここから荒北に総北《そうほく》を追いかけさせて、近づく。その間、福富《ふくとみ》は荒北のうしろで体力を温存《おんぞん》し、ゴール前でパワーを全開《ぜんかい》させ、一気《いっき》にぬこう、という作戦《さくせん》だ。

ところが、荒北がもんくをつけた。

「出ろ、じゃねーよ。距離《きょり》、あけすぎだろ。登りでもっと回せよ、福《ふく》ちゃん‼　ったくめんどくせーー、オレの仕事がふえるじゃねーか」

峠《とうげ》をこえたタイミングで福富－荒北の順番《じゅんばん》が入れかわり、荒北が前に出た。

荒北が速度《そくど》を上げ始めた。

福富は荒北の気持ちをあおるように言葉《ことば》をかけた。

「だが、見ろ、荒北。カーブのたびに敵《てき》のすがたがチラチラと見える距離だ。そして、残りはわずか三キロ。もえるだろ？」

「ああ、やばいね──ったく、アァ、もえる‼」

荒北の顔つきが、したなめずりをするケモノのように変わってきた。

そして、手ぶくろをしめなおすと、ぐっと前を見すえた。

このレースのようすを空から見ると、こんな感じだ。

先頭《せんとう》にいるのは東堂《とうどう》と巻島《まきしま》。二人は山岳《さんがく》リザルトをめざしたアタックを終えて、ゴールまであと二キロあたりの下り坂を流しながら走っている。

それに続《つづ》くのが総北《そうほく》の今泉《いまいずみ》ー金城《きんじょう》、そして、箱根学園《はこねがくえん》の荒北《あらきた》ー福富《ふくとみ》だ。

ハア、ハア、ハア、ハア、ハア、ハア、
ハア、ハア、ハア、ハア、ハア、ハア、

「そろそろ来るな……」と東堂《とうどう》は巻島《まきしま》に向かってつぶやいた。

「ああ」と巻島も言った。

「エースがうしろから来るぜ。インターハイ一日目のゴールをねらって……」

「ああ、どっちが……先に来るかな……」

力を出しきったクライマー、二人。もうスタミナが残っていない。肩《かた》で息《いき》をしながら、ただペダルをふんで流している。あとからやってくるメンバーと合流《ごうりゅう》し、いっしょにゴールインするつもりだ。

どちらのチームが先に出たか、東堂は自分の予想《よそう》を話し始めた。

「うちはエースアシストに荒北を出してくるはずだ。

荒北……あいつはちょっと変わったヤツでな……すぐにつかれたつって休むし、ふだんのレースじゃ、オレでもぬける。よくいる口先《くちさき》だけの男だ。が、大舞台《おおぶたい》になると豹変《ひょうへん》する。

とくにゴール前。目の前に敵《てき》がいるときの集中力はまるで動物のそれだ。

もし仮《かり》に――、ゴールまで二キロちょっとのこのじょうきょうで、数十メートル、総北が先行して、うちが後追《あとお》いしているならば、ざんねんだが、巻《まき》ちゃん……うちの勝ちだよ」

巻島はそれをだまって聞いていた。
すると、
ガアアアアアアアアアアアアア
猛烈《もうれつ》なスピードで坂を下ってくる自転車の音が遠くに聞こえてきた。

「チラチラチラチラ、前走ってるんじゃねーぞ、総北《そうほく》ゥ!! 追いこんでやるぜ……!!」
うわさしていた荒北《あらきた》の声に東堂《とうどう》と巻島《まきしま》は、思わずふり返った。

その瞬間《しゅんかん》、今泉《いまいずみ》と金城《きんじょう》の二人が、黄色い稲妻《いなづま》のように東堂と巻島をぬいていった。

そして、すぐに青い稲妻がとおりさった。

今泉《いまいずみ》 vs 荒北《あらきた》

沿道《えんどう》はわく。

「エース、来たァ、速《はえ》えっ」

「総北、そのまま行けェェ!!」

「インターハイ、ゴール前、二千五百‼　これがもえずにいられるかァ‼」

さけびながら猛烈《もうれつ》な速度《そくど》で坂を下っていく荒北。めちゃくちゃな走りだ。

荒北の肩《かた》が自転車のすぐそばを走る審判車《しんぱんしゃ》のドアミラーにふれた。

当然、かれの肩にも衝撃《しょうげき》があったはずだが、そんなことはおかまいなく、体勢《たいせい》をたてなおして、次《つぎ》のコーナーに自転車を切りこませていく。

今度は、観客《かんきゃく》の前をギリギリにカーブして通りすぎていく。

「うわ、ヤベ、今、オレの前通った？　てか、よけた？　ちゃんと」となにが起きたかわからず、ただ、見送るだけの観客。

観客？

体を横にたおして、ガードレールの内側《うちがわ》にヘルメットがぶつかりそうな走行は続《つづ》く。まさつでヘルメットがやけそうだ。次《つぎ》のコーナーでは自転車をかたむけすぎて、ペダルがアスファルトにふれ、火花が出ている。

すべて転倒《てんとう》ぎりぎりでカーブをぬけていく。

荒北《あらきた》の、この技《わざ》は、名前の通り、荒《あら》っぽい、野生《やせい》のような走りで、少しずつタイムをけずりとる。この最短距離《さいたんきょり》でコーナーをせめるライディングで、下りなのに差《さ》をつめてきた。

沿道《えんどう》の観客《かんきゃく》が「がんばれ～」と手をふっているすがたが、次々《つぎつぎ》とうしろにとんでいく。

荒北はつぶやいていた。

ジャマなんだよ‼　ワーギャー、さわぐなっつんだよ‼

ガンバレじゃねーよ、
おめーががんばれ、ボケナスが‼

傍観者《ぼうかんしゃ》が‼

オレはここまで一人できた――。たった一人の力で、この大《おお》舞台《ぶたい》まで登ってきたんだよ‼

見ているだけのヤツに、がんばれと言われる筋合《すじあい》ねーよ‼


オレがみとめるのは福富《ふくとみ》だけだ。なぁ、福《ふく》ちゃん！


「さぁ、もっと根性《こんじょう》を見せてみろ、総北《そうほく》‼」

荒北の走りに、沿道のもり上がりは最高潮《さいこうちょう》だ。

「下りで差がつまってる‼　すごい」

「箱根《はこね》学園《がくえん》がよせてきているぞ!!」
「総北《そうほく》ゥーーー!!　千葉《ちば》ぁ!!　あぶないぞ、にげろ!!」
通りすぎる自転車に、思い思いの声をかける観客《かんきゃく》たち。
黄色いジャージのあとに青いジャージがビュンビュンと通り、だんだんとそのかんかくがみじかくなっていく。

「もっと加速《かそく》してみろ、うろあーーーーー!!!」
と荒北《あらきた》がおどかすようにさけんだ。

その声が聞こえたのか、今泉《いまいずみ》は体をもっと
前傾《ぜんけい》させて、スピードをのせた。

それを見た荒北がわらった。

「意外《いがい》にやるじゃナァイ!!
けど、夢見《ゆめみ》んな!!　おめーたちは……
オレたちのサドルを見ながらのゴールだ!!」

うろおおおおああああーーーー!!

長かった下りセクションがようやく終わった。

けしきが急にひらけて、正面《しょうめん》に芦ノ湖《あしのこ》があらわれ、ゆうらん船《せん》のかんばんが見えた。でかい湖《みずうみ》に真夏《まなつ》の太陽《たいよう》が反射《はんしゃ》し、アルミはくのようにギラギラと光っている。

その湖につっこんでいくように、道はまっすぐのび、信号のある交差点《こうさてん》を左にまがる。

街中《まちなか》に入ると、ゴールまでは平坦《へいたん》コースだ。

残り千九百!!　観客《かんきゃく》がわく。

「千葉《ちば》と箱根学園《はこねがくえん》!!　ほぼ横ならびだ!」

「いや、千葉がちょっとだけ前!!」

荒北《あらきた》はとくいの下り坂で、最大《さいだい》五十メートルあった差《さ》をつめた。箱根学園が総北《そうほく》にならびかけてきた。

一日目の勝者争《しょうしゃあらそ》いはほぼ二チームにしぼられた。

「千葉か、神奈川《かながわ》か、どっちだ。最初《さいしょ》にインターハイ一日目のゴールラインをわるのはーーーっ!?」

もう一台のかげ

そのころ、今泉《いまいずみ》と金城《きんじょう》を送り出した総北の三人も、必死で追いかけていた。坂道の役目は、田所と鳴子《なるこ》を引っぱって坂を登り、峠《とうげ》をこえて、先を行く巻島《まきしま》と合流し、ゴールまで運ぶことだ。ゴールをめざしている今泉くんと金城さんはどうなっているんだろうと、坂道はふと思った。

そのとき、

ドン

風がふきぬけたように、一台の自転車が坂道たちを追いぬいていった。

「なんだ、今のは？」

と田所が目をほそめてにらんだ。

「一人、ぬいていきよったな」

と鳴子《なるこ》がつぶやいた。

かげがむこうへかっとんで、小さくなっていく。

「あのいきおい……あいつ、まさか、ここからトップゴールをねらう気か!?　いくらなんでも、スパートするのがおそすぎるんじゃないか？」

と田所が言った。

「……!!　わかった、あいつは!!」

と、鳴子が大声を出した――。

第二章

色つきのゼッケン

猛獣《もうじゅう》

あれだけうるさかったセミの音が聞こえない。

山道から街中《まちなか》に入り、アスファルトのてりかえしがキツい中、選手《せんしゅ》たちはペダルをふんでゴールをめざす。

夏の入道雲《にゅうどうぐも》が大きくわきたっている。

箱根《はこね》学園《がくえん》の荒北《あらきた》はペダルをふみながら、鼻《はな》をきかしている。

におうぜ。

クン　クン

この全身《ぜんしん》の毛あながわきたつ感じ、近え、近づいている…!! ゴールのにおいだ!!

レースはにげるほうが有利《ゆうり》なのか、追うほうが有利なのか。

荒北は、すでに今泉《いまいずみ》のそばまで近づき、ぬけるところまで追いついてきた。

しかし、かれが見ているのは総北《そうほく》などではない。

その先のゴールを見すえているのだ。

ハア　ハア　ハア　ハア　ハア

ハア　ハア　ハア　ハア　ハア　ハア

今、レースのトップを走り続《つづ》ける今泉《いまいずみ》は追われる身だ。息《いき》があらい。肩《かた》の赤色ラインが左右にゆれている。

すぐ、うしろに来てる！

今泉は荒北《あらきた》が近づいてきていることを、背中《せなか》で感じている。ひたっと音もなく近づく野獣《やじゅう》のようだ。

街《まち》に入って、観客《かんきゃく》がどっとふえた。道の両側《りょうがわ》に、ひと目見ようと人が集まっている。

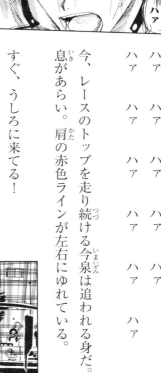

喰《く》うぜ……ゴール……。

荒北は、そうつぶやくとニヤリとした。

「オレはもう腹《はら》ぺこだ!!　喰わせろ!!　最強《さいきょう》の称号《しょうごう》を!!!」

とさけんだ。

「うら!!　うら!!」

と、腹から出す声は、獲物《えもの》を追う猛獣《もうじゅう》のようだ。ペダルをふむ力をパワーアップさせ、荒北のビアンキのブルーグリーンの自転車は、総北《そうほく》の二台にジリッジリッとさらに近づいていく。すごいプレッシャーだ。

そして、

「ジャマだァァ、総北《そうほく》ゥ!!!」

荒北《あらきた》が今泉《いまいずみ》の横にならぼうとする。今泉は重心《じゅうしん》を少し左にかたむけ、ぬかせるものか、とばかりに荒北の自転車の鼻先《はなさき》をおさえる。ぜったいに前には行かせないという今泉の強い意志《いし》が走行《そうこう》に出ている。

ぶつかる？

その瞬間《しゅんかん》、荒北はとっさに少し自転車を引いた。その表情《ひょうじょう》はなんだかたのしそうだ。一気《いっき》にぬけなかったのに、荒北は闘《たたか》いをたのしんでいるかのようだ。

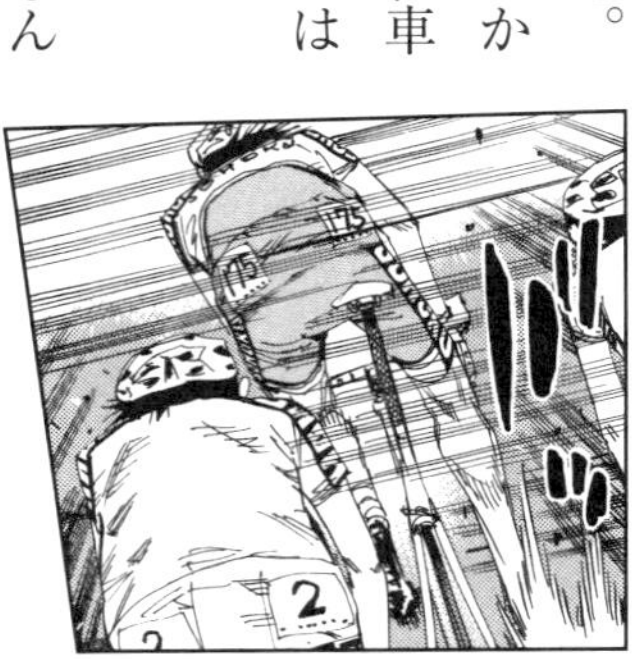

おおお！

いい反応《はんのう》じゃねェか！

たしかにさっき、福《ふく》ちゃんが言ってたように、こいつ、かしこい。

キワキワんところで防衛線《ぼうえいせん》をはっている。
でけえし、ペダルは回せるし、なみじゃねェ。
一年なのに三年《オレたち》と対等《たいとう》にふんでいる。

荒北は今泉の走りに感心《かんしん》している。たおしがいがある相手《あいて》だ、と言わんばかりに。

「が、ゴールには入れねーな。
なぜなら、おりこうちゃんだからな」

と、荒北はわざわざ今泉に聞こえるように言った。
今泉はふり返って荒北をにらんだ。
すると荒北はおどかすように、

「はァーーーーーーーッ」

とほえてみせた。

荒北《あらきた》、一気《いっき》に前へ。

しかし、今泉《いまいずみ》は残りの力をふりしぼって荒北《あらきた》の鼻先《はなさき》をふうじようとした。

ハァ　ハァ　ハァ

ハァ　ハァ

く!!

なんとか、おさえた!!

ハァ　ハァ　ハァ

ハァ　ハァ

今泉はトップをゆずらなかった。

ちっ

荒北は、今泉の横から金城《きんじょう》のまうしろまでいったん下がった。

今泉のヘルメットの中でわいてくるあせはほおを伝って、あごの先からボタボタと落ちてくる。

今泉は自分に強く言い聞かせた。

落ちつけ……集中しろ!!

だが、実力は向こうのほうが上だ。

このままじゃ……ぬかれる。また来る。ああッ!!

箱根学園《はこねがくえん》は強い、とはいえ、弱気《よわき》になっている場合《ばあい》じゃない。

いや、集中しろ今は!! よけいな考えはすてろ。ゴールのことだけに神経《しんけい》を使え!!

自分で自分をはげましながら、ペダルをふんだ。自転車の上では、自分を信じるしかないのだ。

そして、ふと、今朝《けさ》、スタート前に、金城《きんじょう》に言われたことを思い出した――

成長

それは、スタート地点の江ノ島《えのしま》。

まだユニフォームにそでを通す前のウォーミングアップのときだった。自転車の点検《てんけん》をする今泉《いまいずみ》に金城が近づいてきて、ボトルをさし出しながら言った。

「いよいよインターハイ一日目……最初《さいしょ》の大事なステージだ。オレたち総北《そうほく》はよく仕上がっている。が、ライバルの箱根学園《はこねがくえん》はメンバーのほとんどが三年だ。正直《しょうじき》、まっこうから闘《たたか》ったときには実力差《じつりょくさ》は出る」

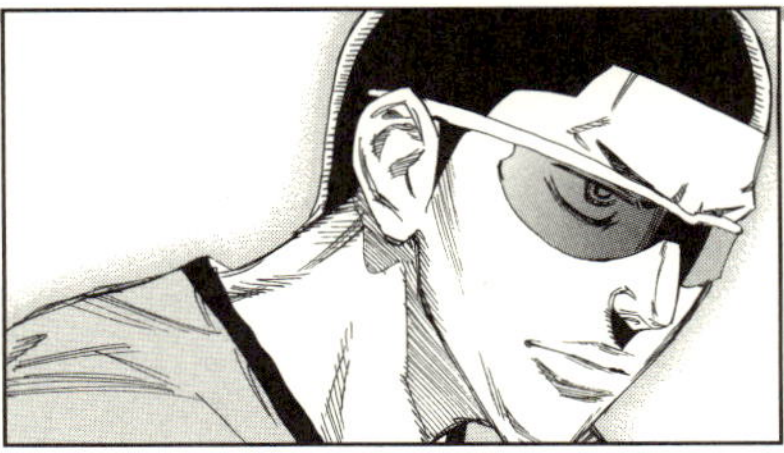

金城はひくい声で続《つづ》けた。

「今泉よ。山岳《さんがく》で……ゴール前で……、いろんな局面《きょくめん》で実力差を実感《じっかん》するだろう。だがオレたちはそれに勝たなきゃならない。だから、今から言うことは、全ステージを通しての、おまえへの作戦《オーダー》だ」

ん？　全ステージを通しての作戦？　そんなものがあるのか？

何度もレースを経験《けいけん》してきたが、そんなふうに作戦を言われたことは一度たりともなかったと今泉は思った。

金城は言った。

「成長しろ。この三日間でだ」

え⁉
今泉《いまいずみ》ははっとした。

「レースの最中《さいちゅう》に成長しろ。それがおまえへの作戦だ。
それがなければ、オレたちは勝てない。
自分とむきあえ。現状《げんじょう》を知り、打破《だは》する方法《ほうほう》を考え、ためせ。
他人をマネても答えは出ない。
今泉……、おまえならわかるだろう。本質《ほんしつ》は自分の中にしかない」

本質《ほんしつ》

本質‼
本質ってなんだ、くそ‼

今泉は足を回しながら金城《きんじょう》の言ったことを考えていた。目のはしに「ゴールまでのこり1.5キロ」という表示《ひょうじ》が見えた。沿道《えんどう》にいる観客《かんきゃく》の応援《おうえん》があたかもスローモーションのように見えた。

本質ってなんだ？

成長しろ、成長しろ、って唱《とな》えれば成長すんのか。

成長しろよォォ!!

今、成長しなきゃオレは――

そのとき、今泉の心の声が聞こえたかのように、荒北《あらきた》が反応《はんのう》した。

「そういうところが、おりこうちゃんだっつーの」

バカにしたような言い方だ。

どこから声が聞こえてくるのか、と考えるまもなく、さっとブルーグリーンの自転車は今泉《いまいずみ》のそばによってきた。

「ぶっちゃけ、てめェじゃ力不足《ちからぶそく》だ‼」

荒北《あらきた》はそう言うと、前にグッとおどり出た。

「箱根学園《はこねがくえん》、前へ出た！　総北《そうほく》はぬかれた！」

オォォオオオオオオオ！

名場面《めいばめん》を見たとばかり、大歓声《だいかんせい》がわき起こった。

「ついに箱根学園が千葉《ちば》をぬいたぞォォ!!!」

うおおおおおおおおおおおおおお

ぬかれた今泉が大声でさけんだ。

引きはなされていく。

荒北と福富《ふくとみ》に引きはなされていく今泉。

今の今まで、自分の前にはだれも走っていなかったのに……。

くそっ

くそっ

力……不足……!!　オレの……!!

今泉は頭の中が熱くなった。ぬかれた！

荒北《あらきた》は心の中で今泉《いまいずみ》に勝利《しょうり》したと思った。

おまえ、一年でよくそこまでもったよ……。
けど、ここから先はざんねんながら〝ゴールゾーン〟。
経験《けいけん》を積《つ》み、自分を律《りっ》し、きたえあげたやつだけが〝闘《たたか》える〟場所。
ここまで来られるのは、
勝負勘《しょうぶかん》を持ち、嗅覚《きゅうかく》を持ち、
なおかつ
うえた者！
おりこうちゃんにはムリだ。

そして荒北は、手荒《てあら》い洗礼《せんれい》とばかり、ふり返って今泉《いまいずみ》にむかって言葉をはなった。

「おぼえておけ、一年！
こっから先で闘えるのは、選ばれた真《しん》の強者《きょうしゃ》か、野獣《やじゅう》だけだ‼」

そして、今泉のうしろを走る金城《きんじょう》にも言葉を投げつけた。

「さあ来いよ、金城。そいつは死んだ‼
喰《く》らいあおうぜ‼」

そう言うと、荒北は右手で、おいでおいでをした。

そのしぐさを金城はサングラスのおくの瞳《ひとみ》で見ていた。

はなれていく。はなれていく。

レースは弱肉強食《じゃくにくきょうしょく》、このままじゃ、総北《そうほく》はおいていかれる。

ハァ　ハァ　ハァ　ハァ　ハァ

ハァ　ハァ　ハァ　ハァ　ハァ

金城《きんじょう》に、今泉《いまいずみ》のはげしい呼吸音《こきゅうおん》が聞こえていた。

――そうか

今泉がなにか言っている！

「……け」

ぬかれてやっとわかった……本質《ほんしつ》……。

「……けよ」

荒北《あらきた》も気がつき、なんだこいつ、と言いたげにふり返った。

「本質……オレが思っていることはいつもシンプルだった――」

今泉はうなった。

「どけ‼

どけよ‼　どけ‼」

‼
荒北は今泉のすごみにおどろいた。
「オレはうるさいのがきらいなんだ。そうだ、どけ!!!
先頭《せんとう》はオレが走る‼」

なにっ⁉　こいつ、ニオイが変わった‼
荒北《あらきた》は、今泉《いまいずみ》がさっきまでとちがって、野獣《やじゅう》の目をしていることに気がついた。

「てめェはジャマだ‼」
ギラァッ
今泉の目がするどく光った。
今泉はドンッとふみこみ、荒北との差《さ》をつめ始めた。ペダルをふむ太ももに、ふたたび力がみなぎっている。

こ、こいつ！　この目、おりこうの目じゃねぇ‼
はりつかれた‼　野獣のーーーーー‼

今泉はうなる。

「どけ……」

もうなにも考えねェ、ブッチギるだけだ!!

「どけよ!!　先頭《せんとう》はオレが走る!!」

猛《たけ》る今泉《いまいずみ》

「死んだんじゃねーのか!!　チィッ」

と、荒北がせまる今泉を見て言った。

「ぬきにかかるぞ、総北《そうほく》!!」

「いっけぇえ!!」

観客《かんきゃく》がわいた。

黄色いジャージはまだ死んでいなかった。
「ゴールまでのこり1キロ」のかんばん。

スパート!!

け……!!

どけぇぇぇぇぇぇーーーーーー!!!

今泉《いまいずみ》はすべてをかなぐりすて、闘志《とうし》むき出しで、荒北《あらきた》と福富《ふくとみ》をせめた。

「ぬく気かよっ!」

「エースアシストの仕事は、ゴールラインの間際《まぎわ》までエースを運ぶこと!
エースの金城《きんじょう》さんを勝負所《しょうぶどころ》まで全力《ぜんりょく》でとどけることだ!」

今泉は自分の役割《やくわり》をよくわかっていた。

荒北がイラついた。

「しつけーよ!!」

残り五百メートルまでに、オレはすべてをぬきさって、先頭《せんとう》になるんだ!!

うおおおおおおおおおおおおおお

残り八百!!

残り七百五十!!

残り七百!!

背《せ》の高い杉林《すぎばやし》がならぶ直線《ちょくせん》を、流星《りゅうせい》のように自転車が行く。

ハァ　ハァ　ハァ　ハァ　ハァ

六百!!

「けえええええ!!」と今泉《いまいずみ》がほえる。

「めんな一年ボーズ!!!」

と荒北《あらきた》もまけない。

並《なら》んだアアア!!
Bianchi

「ならんだアアア!!　総北《そうほく》と箱根学園《はこねがくえん》がならんだ!!」

「ゴールまで五百メートル!!」

観客《かんきゃく》は絶叫《ぜっきょう》した。

「くっそ、こいつ土壇場《どたんば》で追いついたァ!!」
「箱根学園、強い……!!　ぬけなかった……!!」

これぞデッドヒート、荒北《あらきた》と今泉《いまいずみ》は真横《まよこ》にならんでせりあって走っている。頭を下げて、歯《は》を食《く》いしばって最後《さいご》の力をしぼりだす。
「あとは、たのむぜ、福《ふく》ちゃん!!」
「たのみます、金城《きんじょう》さん!!」

その瞬間《しゅんかん》、風よけの役割《やくわり》をはたしていた
総北《そうほく》の今泉《いまいずみ》と箱根学園《はこねがくえん》の荒北《あらきた》のうしろから、
ぬっとエースがあらわれた。

ついに金城《きんじょう》と福富《ふくとみ》の出番《でばん》だ。

「エースが出るぞォォ!!」

このクライマックスに観客《かんきゃく》は大絶叫《だいぜっきょう》だ。
今泉はつかれはてて、ふるえる手で、
金城のゼッケン171をさわり、
「みんなの想《おも》いを、ゴールに……ゴールにとどけてください!!」

うおおおおおおおおお！　お願《ねが》いします‼」
とさけびながら、金城の背中《せなか》をおした。
前方《ぜんぽう》にゴールラインがかすかに見えてきた。
「よくやった今泉‼　まかせろ‼」と金城はさけんだ。
一方の福富も「まかせろ、荒北‼」とさけび、最後《さいご》の
スパートにくり出した。
黄色いジャージと青いジャージが、火花のようにはなたれた。
今泉と荒北は、全エネルギーを使いはたして、スピードを
落としていった。
「残り五百で神奈川《かながわ》と千葉《ちば》のエースがとび出したぞ！」

「行っけえええええ！」

「どっちだ！」

「インターハイ一日目、ゴールをとるのはどっちだ!!」

観客《かんきゃく》のもり上がりは最高潮《さいこうちょう》だ。

ドン！

そのとき、今泉《いまいずみ》、荒北《あらきた》二人の間をわって、むらさきのジャージがとび出してきた。

ん？

「み……御堂筋《みどうすじ》ーーーーーーーーーーーー!!!」

今泉が絶叫《ぜっきょう》した。

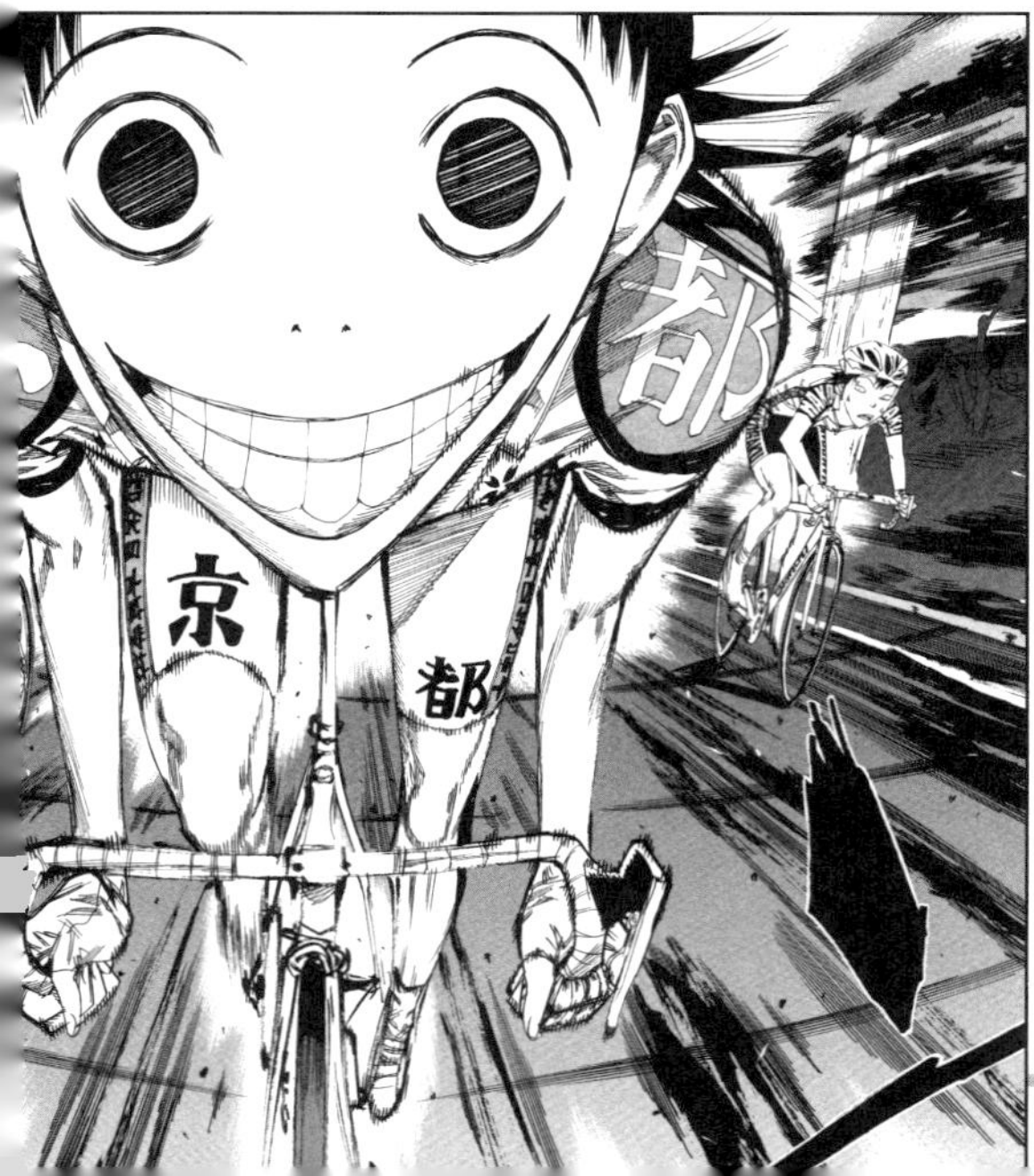

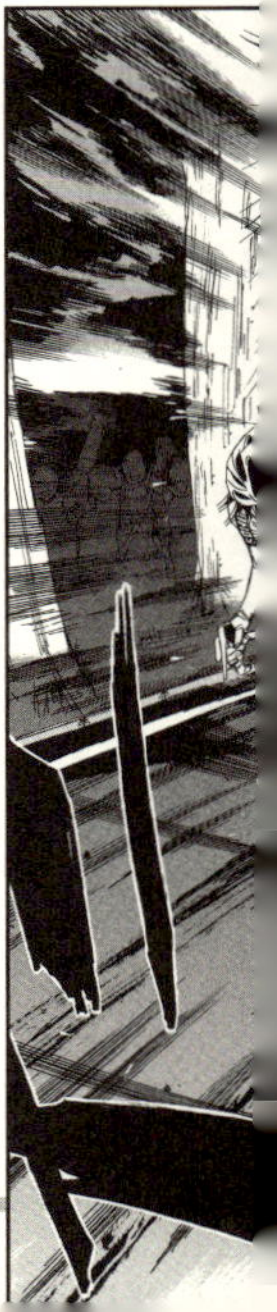

「おまたせや……!!」

むらさきのジャージの男はニヤッと不敵《ふてき》なえみをうかべた。

京都《きょうと》の91番御堂筋《みどうすじ》

坂道と鳴子《なるこ》、田所、巻島《まきしま》と後方を走行中の四人も少し前に御堂筋にぬかれた。

「ワイらをぬいていった、あいつ……京都《きょうと》の91番、御堂筋やんけ!!」

と鳴子がくやしがると、田所が「この時間帯《じかんたい》の、あの走りは明らかにゴールをねらってる。あの一年、金城《きんじょう》や福富《ふくとみ》よりずっと手前にいるけど、とどくと思うか?」と巻島に聞いた。

「いや、無理《むり》ショ。後方《こうほう》の集団《しゅうだん》で力を温存《おんぞん》しておいて、ゴールねらいにとび出すのはレースの定石《じょうせき》ショ。だが、とび出しがギリギリすぎる。

あのタイミングじゃ、よゆうがなさすぎるんだ。判断《はんだん》ミスか、それとももともと三位ねらいか……だといいけどね」と答えたが、坂道は御堂筋《みどうすじ》の強さを知っていた。

「御堂筋くん……あの人は強いです……！」

そのころ、先頭集団《せんとうしゅうだん》では……。

「なんだ、アイツ‼」

荒北《あらきた》がめんくらった。

「御堂筋‼　直感《ちょっかん》でわかる、あいつ、ゴールをねらってる‼」

今泉《いまいずみ》もおどろいた。

「てめエ、エースをねらう気かよ‼　させるかよ‼

うおおおおお」と今泉がほえれば、

「くそぉ！」と荒北もほえた。

勝利《しょうり》は、総北《そうほく》の金城《きんじょう》と箱根《はこね》学園《がくえん》の福富《ふくとみ》にしぼられたとだれもが思っていた。そこへ、ロケットより速《はや》いスピードで、すい星《せい》のようにゼッケン91番・京都《きょうと》伏見《ふしみ》の御堂筋翔《あきら》がとんできた。

最終決戦《さいしゅうけっせん》にもう一台が名乗《なの》りをあげたのだ。

「く‼」と今泉が追い始めた。

しかし、足が動かない‼　ビク、ビクン、ブルブルとふるえる。

「おおおお‼　動け、オレの足！」

さっきの荒北との激闘《げきとう》で、足の力を使いきっている。

くそ‼　はりつくのがやっとだ‼

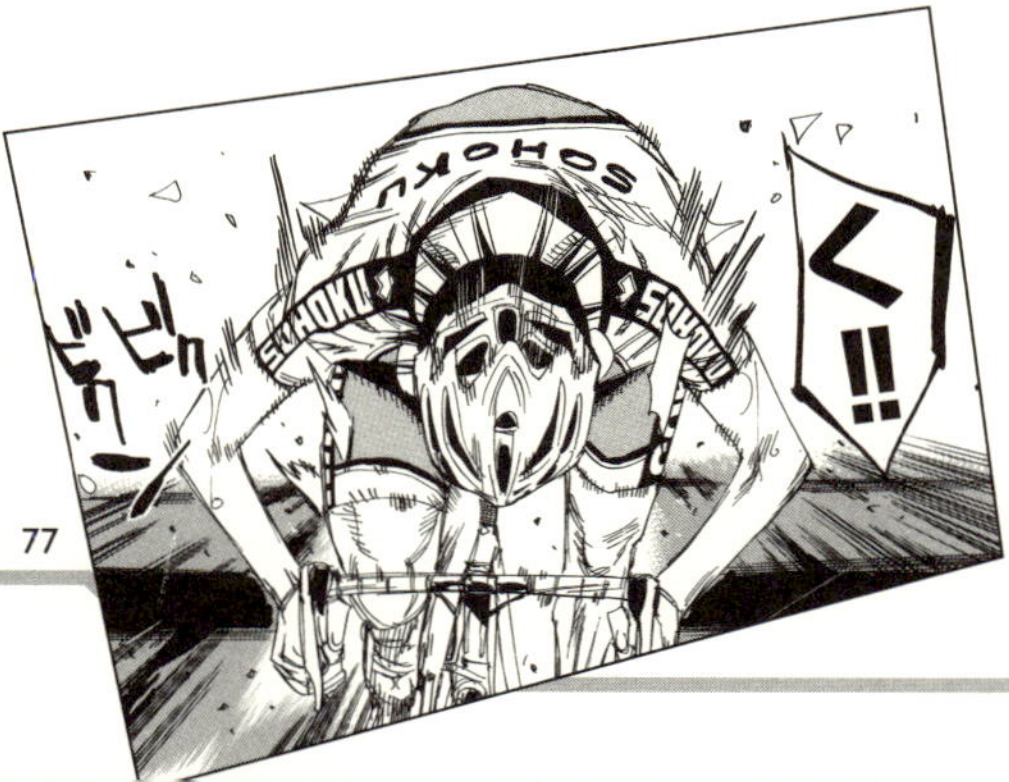

でも、どうにかして止めねーと、こいつを‼
とにかくオレが、オレが‼
気になる要素《ようそ》は、はらいおとしとかなきゃいけねェんだ‼
もうエネルギーが残っていないが、今泉《いまいずみ》はなんとか、御堂筋《みどうすじ》のうしろに入った。前に出てじゃまをしたい。しかし、はりつくのがせいいっぱいだ。ならべない。目の前のゼッケン91番がうらめしい。

ゴールまで残り四百……を切った。
むむ？　でも、エースとの差《さ》がちぢまっていない⁉
待てよ……。
ひょっとして、このまま追いつかないのか。三番ねらいだったのか⁉
今泉がそう思ったとき、御堂筋が突然《とつぜん》、こぎながら、手であせをぬぐった。
そして、「エース、見えたァァ‼」と
ねらいをさだめたように言った。

残り三百‼
まだ、距離《きょり》がある……‼
つめられない……‼
御堂筋はこのまま、エースに追いつかない‼
だいじょうぶだ‼

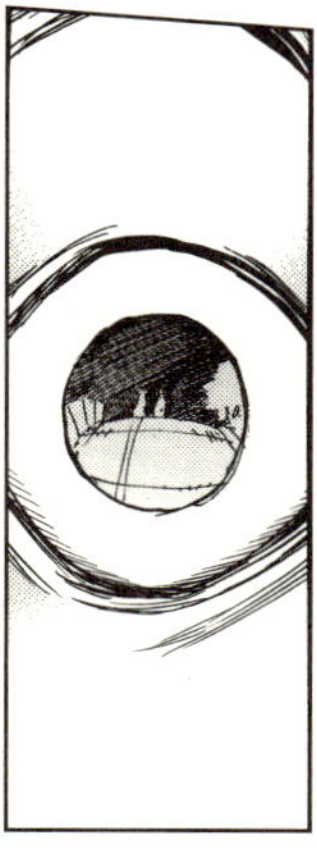

今泉《いまいずみ》がそう思ったとき、今度は落ち着きはらって、「予定通《よていどお》りやん」

と言いながら、御堂筋《みどうすじ》は長いしたをペロンと出した。

そして、よゆうたっぷりに今泉に言葉をかけた。

「レースに勝つために必要なものはなんやと思う？　弱泉《よわいずみ》くん。

それはな……、勝利《しょうり》のことだけ考えることや。

ゴールの位置《いち》、地形、距離《きょり》、人数、実力、速度《そくど》を
計算して、それだけねらって走ることや」

ゴールまでの距離はどんどん近づいていくのに、
御堂筋はよゆうしゃくしゃくの顔つきをしていた。

「ボクはな、このレース、くだらないファーストリザルトや、山岳《さんがく》リザルトは、初めから
すてとったんよ」

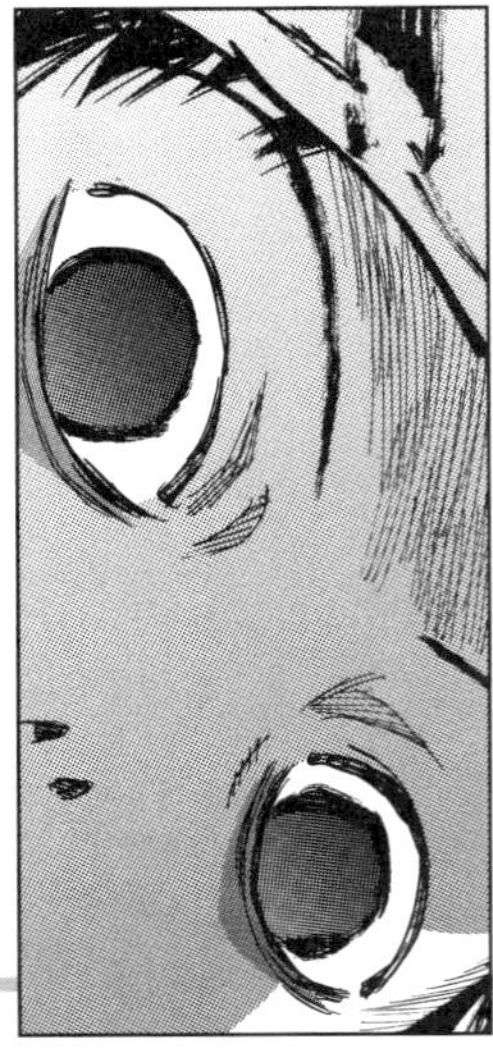

それを耳にして今泉はカチンときた。

「くだらなくはないっ!!　残りは二百五十メートル。現《げん》におまえはもうエースには追いつけない!!」

御堂筋は突然《とつぜん》、指にまいていたテーピングをビーッとはずし始めた。今泉の話は無視《むし》だ。

「ああ、あとつけくわえるなら、自分のとっておきは、最後《さいご》のキワまで見せたらあかんということやな」

そういうやいなや、テープをはずした指をすーっとレバーにもっていき、ギアチェンジした。

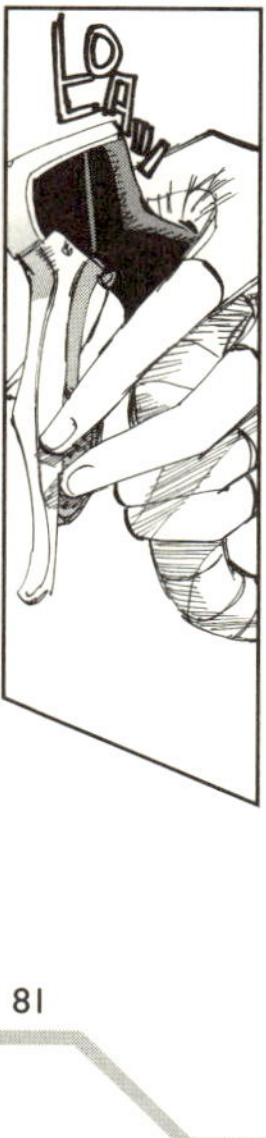

「アウター……!? まさか、ふうじていたのか、今まで!!」

今泉《いまいずみ》はどぎもをぬかれた。

キリキリ、ギャン、ガシャン

ギアがハマると、御堂筋《みどうすじ》は長い体をおりまげた。前傾姿勢《ぜんけいしせい》の立ちこぎとなった。

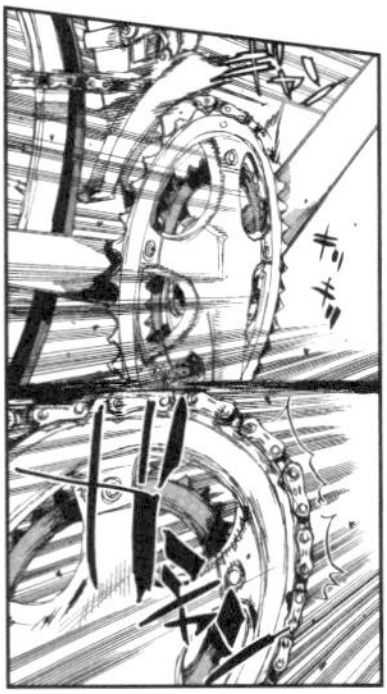

イヤハアアアアアアアアーーーーー

御堂筋の自転車は爆発的《ばくはつてき》に加速《かそく》を始めた。

遠ざかっていく。もう追えない。

今泉はなにもできない。取り残されて、ただ見送るだけだ。

「ほしいのが勝利《しょうり》なら、差《さ》、つめんのはギリギリで十分や!!　予定通《よていどお》り、ゴールのほんの手前で追いつくで、エースはん!!」

御堂筋はわらいながら、一人だけ別次《べつじ》元《げん》のスピードを出していった。

「御堂筋ィィィィィーーーーー!!」

今泉の声はとどかない。

「もうしわけないなあ、弱泉《よわいずみ》くん、ガンバったのになあ。けんめいにな!!　ホンマにな!!　おまえのその顔、何回見てもキモいなァァ!!」

予《よ》定《てい》通《どお》り

京都伏見《きょうとふしみ》・御堂筋《みどうすじ》の見せ場がきた。
総北《そうほく》と箱根学園《はこねがくえん》のマッチレースかと思った、一日目の最終《さいしゅう》ゴールは、思いがけない刺客《しかく》の登場でわからなくなっていた。

御堂筋はどんどん差《さ》をつめていく。一人だけスピードがちがう。
一人静かにレースのてんぼうを考えている。
〝予定通《よていどお》り〟や。残り三キロで先頭《せんとう》の小集団《しょうしゅうだん》をぬいて、
残り五百メートルでエースをとらえて、
残り二百メートルでとっておき出して、

残り百五十メートルでエースに追いつく……ほんで、
残り五十メートルでエースを追いぬく。

勝利《しょうり》するのに、ブッチギリで勝つひつようなんてない。ゼロコンマで十分。数ミリで十分。

ブッチギろうなんて思うから、ムダな体力をつこうて失速《しっそく》するんよ。

追いぬくにはもう十分な距離《きょり》や、エースはん！

ボクの目的は、一日目、二日目、三日目の全日優勝《ぜんにちゆうしょう》、つまり、完全《かんぜん》優勝や!!

当然《とうぜん》、今日のトップゴールもいただくでぇ!!

ああ。

観客《かんきゃく》はレースのてんかいにおどろいた。

黄色いジャージの総北《そうほく》・金城《きんじょう》、青いジャージの箱根学園《はこねがくえん》・福富《ふくとみ》の間に、ひときわ大柄《おおがら》なむらさきのジャージがつっこんできたのだ。

「京都《きょうと》だ！」

「うおおおおお、京伏《きょうふし》！　どこから来た！」

「追いあげた、エースにせまってるぞ！」

「残り百五十メートルだ！」

ゴール直前の予想外《よそうがい》のシナリオに、観客《かんきゃく》は声をからして声援《せいえん》を送る。

「予定通《よていどお》り‼」と御堂筋《みどうすじ》がつぶやく。

金城と福富が一瞬《いっしゅん》、うしろをふり返り、二人は同時にラストスパートをかけた。

「あいつ、追ってくると思うか、福富」と金城が福富に話しかけた。

「おそらくな。オレならそうする。トップゴールをねらう走りだ、あれは。金城」と福富が答えた。続《つづ》けて、

「だが、だからと言って問題《もんだい》はない。追えば、はらうだけ――そして、それはおまえも同じだ」と福富が言った。

金城は「当然《とうぜん》だ。ゴール前は戦場《せんじょう》だ。生き残るのは一人だ」と返した。

「オレは勝つ……強さの証明《しょうめい》のために!!」と福富。

「オレはたくされたなかまの想《おも》いのために、とる!!絶対《ぜったい》に!!」と金城。

「ゴールで会おう!!」

と、両者はちかいあった。

そのようすをうしろから見ていた御堂筋《みどうすじ》は目をほそめてつぶやいた。
「速《はや》いわ〜、さすがやわ〜〜。

名門《めいもん》のかんばんをせおって走っとるだけのことはある。
神奈川《かながわ》は強い。千葉《ちば》も引っぱられて走っとるだけとちゃう。
実力者《じつりょくしゃ》やけど。ごめん、予定通《よていどお》りやわ!!
こっちはとっておき〝その2〟を出すだけや。
いや……まあ……正確《せいかく》には、あのメガネに一度見せて
もうたから、すでにとっておきちゃうけどなァ〜〜〜!!」
そういうと御堂筋の上半身《じょうはんしん》がずるりとのびた。
こしから上が前輪《ぜんりん》よりも前にのり出したのだ。
山岳《さんがく》での〝対《たい》・坂道戦《さかみちせん》〟で一度だけ見せた、異様《いよう》な
〝超前傾《ちょうぜんけい》〟ダンシングをくり出した。

「なんだ、あの走りはーーー」

と観客《かんきゃく》が悲鳴《ひめい》をあげた。


御堂筋は、さらに加速《かそく》――――。

ゴール

「まもなく、選手《せんしゅ》が入ってきます」

アナウンスがスピーカーからひびいた。

芦ノ湖湖畔《あしのここはん》のゴールライン。今日ばかりは、アスファルトの車道は自転車のためだけに開放《かいほう》してある。最後《さいご》の直線《ちょくせん》となる道路《どうろ》の両側《りょうがわ》には、たくさんの観客がすずなりで待っている。

アナウンサーの実況《じっきょう》はしだいに熱をおびていった。

「えーと、今、手元《てもと》にとどいた情報《じょうほう》によりますと、現在《げんざい》、一校、先頭《せんとう》に追いついてきたようです。箱根学園《はこねがくえん》1番福富選手《ふくとみせんしゅ》、総北《そうほく》高校171番金城《きんじょう》選手……」


「ハァ？　追いあげ？」

「ゴールまで残りわずかだろ、だれ？」

「箱根学園と総北の一騎打《いっきう》ちじゃないのか？」

「こっからは見えねぇよーー」


各学校のひかえの選手たちから、ざわめきが起きた。

ゴール前の人ごみには、寒咲《かんざき》、手嶋《てしま》、青八木《あおやぎ》ら、総北の補給部隊《ほきゅうぶたい》の顔も見える。
「追いあげてきてるのは——京都伏見《きょうとふしみ》高校、91番御堂筋《みどうすじ》選手です。残りは百メートルっ!!」

そのアナウンスがあったと同時に、三台がもつれながら直線《ちょくせん》に入ってきた。

「ああああああーーー」

「なんだ、あの超前傾《ちょうぜんけい》ダンシング！」

「京伏《きょうふし》!?　うしろから追いあげたのか？」

「先輩《せんぱい》ーーーーーーーー!!　箱根学園ーー!!!」

声援《せいえん》がとぶ。


「決まるぞ!!　インターハイ一日目の勝者《しょうしゃ》が!!」

ものすごい速度《そくど》の三台が矢のようにゴールをめざす。

かれらにはまわりの声や風景《ふうけい》すら入ってこない。

勝つ!!　と福富。とる!!　と金城。勝利《しょうり》や……!!　と御堂筋。

おのおのがさけんだ。

最後《さいご》の最後のパワーを全部、しぼり出して、ハイケイデンスで自転車を走らせている。

ハンドルをにぎるうで、ペダルをふみこむ足の血管《けっかん》がうき出ている。

コース幅《はば》に広がって、三台がゴールにつっこんできた。

「選手《せんしゅ》が見えてまいりましたっ。いよいよインターハイ一日目、ゴールです」

とアナウンサーの声がひときわ高くなった。

「一番最初《さいしょ》にゴールラインに到達《とうたつ》するのは、一体どのチームか!!」

「残り百メートルです!!」

アナウンサーの声が絶叫《ぜっきょう》に変わった。

「総北《そうほく》がんばれーーーーー!!」
「うおおお、京都《きょうと》、行けえ!!」
さけびまくる観客《かんきゃく》。

「そのままブッチギってください、福富《ふくとみ》さん‼」

箱根学園《はこねがくえん》の後輩《こうはい》からも悲鳴《ひめい》のような声援《せいえん》がとぶ。

「京都伏見《きょうとふしみ》ってレース前に箱根学園にケンカをうったヤツですか」

と杉元《すぎもと》が言う。すると手嶋《てしま》はそれには答えず、「メイン集団《しゅうだん》からゴールねらいで単独《たんどく》でとび出したんだ……よく追いついたな‼　くそ‼　箱根学園だけでもやっかいだってのに‼」とおどろく。

「金城《きんじょう》さん……‼」

ミキが身をのり出してつぶやいた。心配そうな顔だ。ミキのところからは、三台がならんで進んでくるのが見えている。

御堂筋はゴール直前《ちょくぜん》でも、歯《は》をむき出してわらいながらこいでいた。

「残り五十で追いぬく‼　ほんで悪いけど一日目の優勝《ゆうしょう》はボクがもらうわ‼」

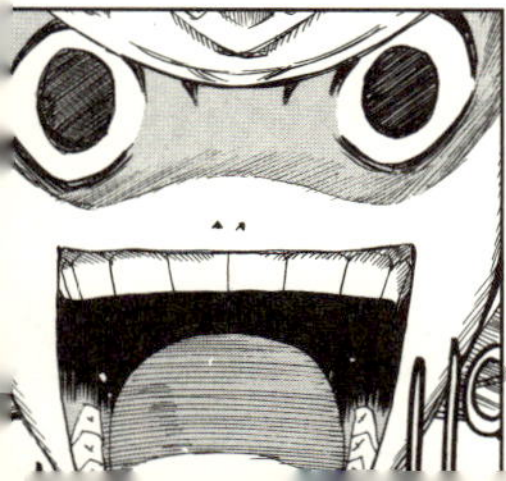

るん!!
スパートがかかった。
「ロードレースの勝者《しょうしゃ》は、つねに強者《きょうしゃ》だ!!　相手《あいて》に、道に、そして自分に、すべてに打《う》ち勝った者だ!!」
と福富《ふくとみ》はさけんだ。

「田所……巻島《まきしま》……ありがとう。

おまえたちのおかげで今、オレはここにいる。

今泉《いまいずみ》、鳴子《なるこ》、小野田、見ていろ、オレが、金城真護《きんじょうしんご》が、このジャージをまっ先にゴールにぶちこんでみせる!!」

と金城は気合《きあい》を入れた。

「残り五十メートルです!!!」

とクライマックスをつげるアナウンスがひびいた。

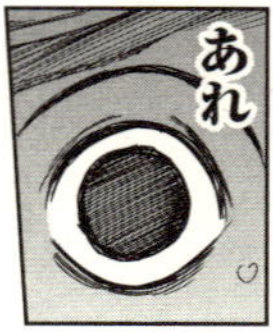

あれ、なんで五十やのに、この人たち、前におるの？
アカンやろと御堂筋《みどうすじ》はつぶやいた。

最後のひとしぼりをこぐ三人。

はァァアアアアアアアアア！
うおおおおおおおおおおお！
おおおおおおおおおおおお！

ゴールまで、
四十メートル　三十メートル　二十メートル　十メートル──

20

SOHOKU

ゴ――――――――ル！

歴史《れきし》に残る三台のデッドヒート。
観客《かんきゃく》からは大拍手《だいはくしゅ》。

「インターハイ一日目、先頭選手《せんとうせんしゅ》がゴール。
大熱戦《だいねっせん》。一日目の優勝《ゆうしょう》選手はーーー」

決着

シャアアアアアアアアアア

ゴールした御堂筋《みどうすじ》は、ゆっくりと京都伏見《きょうとふしみ》のテントにもどってきた。
「いやあ、やっぱエースやわ。入っとる年季《ねんき》がちがう」

「お、おつかれさまです！」
ひかえの部員《ぶいん》がむかえた。そして、御堂筋に白いタオルをわたした。
「五十メートル手前でぬけるはずやってんけどなあ。でも、まァエエわ、結果《けっか》は結果や♪」

同じく、福富《ふくとみ》も箱根学園《はこねがくえん》テントにもどってきた。

「おつかれさまです！」

「福富さん、つかれした！」

と後輩《こうはい》がタオルとボトルをわたす。福富はあせをぬぐいながら言った。

「ロードレースの勝者《しょうしゃ》は……『つねに強者《きょうしゃ》』か……」と。

総北《そうほく》のテントでは、ヘルメットをぬいで水分補給《すいぶんほきゅう》をしている金城《きんじょう》に青八木《あおやぎ》と手嶋《てしま》がかけよった。

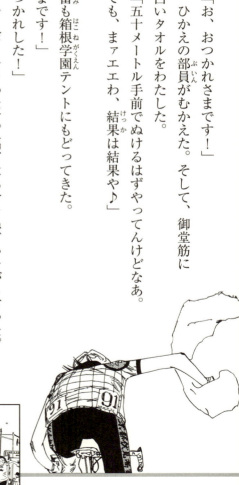

そのころ大会本部《たいかいほんぶ》テントで公式結果《こうしきけっか》がかくにんされた。

公式記録員《きろくいん》が「いやあ、この結果《リザルト》はすごいです……ね。毎年、だいたい一日目をとったチームがインターハイをせいしているんだ。去年も箱根学園《はこねがくえん》がそうだった」

とつぶやいた。

「しかし、今年は。信じられん」

「大会史上初《しじょうはつ》のできごとじゃないか……」

「三チーム、同着《どうちゃく》……だ……!!」

1位　1　福富寿一《ふくとみじゅいち》（差《さ》0）神奈川《かながわ》・箱根学園
1位　91　御堂筋翔《みどうすじあきら》（差0）京都《きょうと》・京都伏見《ふしみ》
1位　171　金城真護《きんじょうしんご》（差0）千葉《ちば》・総北《そうほく》
4位　2　荒北靖友《あらきたやすとも》（＋1・40秒《びょう》）神奈川・箱根学園
5位　175　今泉俊輔《いまいずみしゅんすけ》（＋1・55秒）千葉・総北

ゼッケン

「強者《きょうしゃ》が三人……か」
結果《けっか》を聞いた箱根学園の福富はそうつぶやいた。

入道雲《にゅうどうぐも》にかたむき始めた西日があたり、光とかげを作る。芦ノ湖畔《あしのこはん》近くにもうけられた出場校《しゅつじょうこう》のテントには、熱風《ねっぷう》と湖からのまざりあった風がふきこむ。

総北高校のテントに、炎天下《えんてんか》のレースを走り終えた選手《せんしゅ》たちがもどってきた。

ミキ、手嶋《てしま》、青八木《あおやぎ》らがむかえいれ、すぐさまタオルやのみ物をわたす。自転車をおりた選手たちはそれぞれにクーラーボックスにこしをおろした。

坂道はくつをぬいだ。ソックスもあせでぐっしょりだ。風が気持ちいい。
今泉《いまいずみ》は頭からタオルをかぶって、ひざに手をついている。
鳴子《なるこ》はすごいいきおいでドリンクをがぶのみしている。

「三人が同着《どうちゃく》で一位か」と鳴子がボソリとつぶやいた。

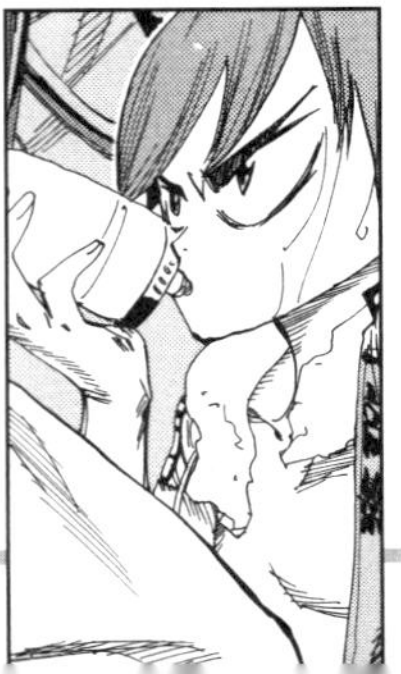

ほかの選手《せんしゅ》たちはなにも言わない。

坂道はつかれとホッとしたのと、やることはやった充実感《じゅうじつかん》を感じていた。頭がぼーっとしている。やがて、「続《つづ》きまして、一日目、各賞表彰式《かくしょうひょうしょうしき》にうつります。選手の方は芦ノ湖《あしのこ》湖畔駐車場特設《こはんちゅうしゃじょうとくせつ》ステージまでお集まりください」とアナウンスが聞こえてきた。

それを聞いて坂道は、「しょっ」と立とうとしたが、足がいうことをきかず、うまく立てなかった。鳴子が「おいおい、小野田くん、だいじょうぶか。ヒザがプルプルいっとるで」と言った。

たしかに坂道の足はプルプルして、力が入らない。

「ええんや、ええんや。ワイらは明日もあんねんで。表彰式はお客さんのためや。選手は休んどったらええんや。こっからも見えるし」と鳴子が教えてくれて、思わず「そうなの⁉︎　よかったぁ」とホッとしていると、すかさず田所が言った。

「行くぞ、立て」

鳴子が猛反発《もうはんぱつ》した。

「オッサン、アンタ、オニか？　小野田くんはもうプルプルやで」

「ん？　プルプルなのはおまえじゃないのか、鳴子？」

「アホ言うな。立てるちゅーねん。行きましょか、だったらダッシュで‼︎　表彰式‼︎」と鳴子がまけじと立ち上がろうとすると、田所がわらいながら言った。

「ガハハハハ、じょうだんだ。休んどけ。おまえら一年にとっては初のインターハイだ。きんちょうと疲労《ひろう》でおめーらの体は自分が思っている以上《いじょう》につかれている。けど、ここからでいいから表彰式はちゃんと見とけ」

田所は続けた。

「同着一位……上等《じょうとう》じゃねーか。むねをはれ……ほこりを持て‼︎

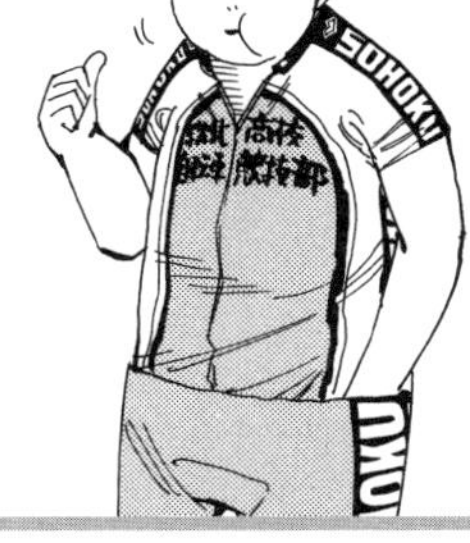

おまえたちが力を出し切って、オレたちが想《おも》いをつないで手にした。あれが――勝利《しょうり》の形だ‼」

田所が目を向けた表彰台《ひょうしょうだい》には向かって左から、御堂筋《みどうすじ》、福富《ふくとみ》、そして金城《きんじょう》のすがたがあった。

オオオオオオオオオオ‼

集まった客から歓声《かんせい》があがり、拍手《はくしゅ》がなりひびいた。

「史上初《しじょうはつ》です。なんと三校同着《どうちゃく》ゴール‼ 総北《そうほく》高校、箱根学園《はこねがくえん》、京都伏見高等《きょうとふしみこうとう》学校です‼

三人には、花たばと黄色いゼッケンが配られます」

とアナウンスが聞こえた。

田所が、

「目にきざんでおけ」

と言いながら、坂道と鳴子《なるこ》の頭を大きな手でぐわっとつかんだ。そして言った。

「あれを、三日目に、オレたちが単独《たんどく》で手にするんだ‼

見ろ、会場にいるヤツら。まさか総北が表彰台に立っているなんて、予想《よそう》していたやつは一人もいねェ。いいじゃねェか」

そして、一段《いちだん》大きな声で言った。

「こっからだ‼

あと二日‼

ぐうぜんなんかじゃねェ‼　オレたちの本当の強さを見せてやろうぜ‼」

その声を聞いて、
田所さんの言葉はいつも力をもらえる‼

と、坂道はうれしくなり、ぐっと気合《きあい》が入った。

「はい‼」と、鳴子と坂道がどでかい声で返事をすると、

「ガハハハ、よぉぉし。じゃ、表彰式、こっから先もよく見ておけよ」と田所は言った。

「表彰式《ひょうしょうしき》?? この先、まだなにかあるんですか?」

「まぁな」

そう言うと、田所はスタスタと表彰台へ向かっていった。

「ファーストスプリンター賞《しょう》の表彰です!! ファーストリザルトをとった千葉《ちば》総北《そうほく》高校三年 田所迅《たどころじん》選手《せんしゅ》ーー!!」

アナウンスの声とともに、田所が表彰台に上がった。

「かれにはグリーンゼッケンがわたされ、これをつけて明日のレースを走ります」

坂道は目をまるくした。

田所が両手をあげて大きくガッツポーズをしているのが見えた。

「よし、マイクをかせ」

と田所が司会者《しかいしゃ》から、マイクをうばって話し始めた。

「あーーー、あーーー、ゴホン。

オイ、これを聞いてるスプリンターー!!
この緑《みどり》ゼッケンがほしいか!!
だったら、明日のレース、
かかってこい!!! 勝負《しょうぶ》してやる!!
そして、この田所迅がけちらしてやるぜ!!」
いきなり表彰台でワンマンショーを始めた田所。
観客《かんきゃく》からはやんややんやのかっさいだ。
「田所先輩《せんぱい》……って……すごいね」
坂道はおどろいて、かたまってしまった。

そばにいた巻島《まきしま》が口を開いた。

「ゼッケンが二枚か……まあ上出来《じょうでき》ショ」

「あの色のついたゼッケンて、なにか意味《いみ》があるんですか？」

と坂道はたずねた。

「……アア。一つはプライド。一日レースではたんなる勲章《くんしょう》だ。だが、もう一つは、連続《れんぞく》するステージレースじゃアドバンテージになるショ。色つきゼッケンは強者《きょうしゃ》の証《あかし》だからな。そのゼッケンのあるチームは、それだけでレース内《ない》で一《いち》目置《もくお》かれる。ゼッケン選手《せんしゅ》が元気に走っているだけで、そのチームがふしぎと強く見えるモンなのさ。レースではそーゆーのがあとあときくんだ」

「へぇ〜」
レースは知らないことばかりだ、と坂道は思った。
「ま、田所っちのでかい図体《ずうたい》だったら、効果《こうか》は三倍《ばい》だろうな」
それを聞いて、坂道はわらった。

「つぎは山岳賞《さんがくしょう》。赤色ゼッケン箱根学園《はこねがくえん》三年生、東堂尽八《とうどうじんぱち》選手ですーー!!」

表彰式《ひょうしょうしき》は続《つづ》く。


「箱根学園ーーー」

「山神《やまがみ》ーーーーーーー!!」

客から声がかかった。

表彰台に立った東堂はマイクを手に取ると、

「巻《まき》ちゃん!!」

と語りかけた。遠くからそのようすを見ていた、坂道と巻島はびっくりした。

東堂のスピーチは続く。
「出てきてくれ、巻ちゃん!!　この山岳賞はおまえとの闘《たたか》いで二人でとったものだ。ともにステージへ!!　巻島裕介《ゆうすけ》ーーー!!」

「うわっ、名前を言うなっショ‼」

と巻島《まきしま》があきれた。

再会《さいかい》

表彰式《ひょうしょうしき》が終わり、会場から人が引き始めたころ、テントにいた坂道のところへ
「やっ」

と、真波山岳《まなみさんがく》がやってきた。
「真波くん」
真波はレースを終えてつかれているはずなのに、ふつうにスタスタと歩いていた。立ち上がるとひざがワナワナとなる坂道とは大ちがいだ。そのとなりには、さっきまで表彰台《ひょうしょうだい》にいた〝山神《やまがみ》〟こと東堂《とうどう》がいた。箱根学園《はこねがくえん》のクライマー二人のおでましだ。

東堂は巻島を見つけて、もんくを言っている。

「やはり、テントにいたのか巻《まき》ちゃん。さっきはなぜ、ステージに来てくれなかった!?」

「行くわけないショ!!」と巻島。相手《あいて》にならない、というかんじだ。


「東堂さんがキミに会いにいくっていうからさ。どお、調子《ちょうし》は?」

真波が坂道に話しかけた。

「うん、だいじょうぶ」

気づかってくれる真波に坂道はすなおに答えた。

「…………」

「…………」

「ぼくたち、自転車にのってないと、とくに話すことがないね」

「あははは」

二人は思わずわらった。

「おっとオレはあるぞ、メガネくん」

そこへ東堂《とうどう》がわって入ってきた。

「やっと会えたなメガネくん‼」

「あ、は……はい」

ビッと指をさされて、坂道はヒッとのけぞった。

前に「三下《さんした》だな……ビジュアル的に……」とレース中に言われたことを思い出し、今度はなにを言われるのだろうとドキドキした。

東堂はさした指をまるめて、その手をポンと坂道の肩《かた》においた。

そして、

「感謝《かんしゃ》しているよ、メガネくん、敵《てき》だが」

と言った。


え？

坂道はとまどった。

東堂は、両手で坂道の手をガシリとにぎると坂道の目をのぞきこむように言った。

「キミはすぐれたクライマーだ。

生き残れ。キミはまだのびる。

三下と言ったのは取りけそう。いい目だ」

坂道は、びっくりして、

「えっ、ひゃーーーーっ、いやいやいやいやいや、
そんなことないですから」

と首をふった。

「言いたいことはそれだけだ。じゃあな、明日以降《いこう》のいい走りを期待《きたい》しているよ」

そう言いながら東堂と真波《まなみ》は立ち去ろうとしたが、東堂が立ちどまってつぶやいた。

「明日以降は、死闘《しとう》になるからな」

その言葉に、巻島《まきしま》、坂道、鳴子《なるこ》、そして、真波《まなみ》もハッとした。

東堂《とうどう》は背中《せなか》をむけたままで話を続《つづ》ける。

「一日目……うちと総北《そうほく》と京都伏見《きょうとふしみ》が同着《どうちゃく》一位をとった……つまり、これだけの闘《たたか》いをして、優劣《ゆうれつ》がつかなかったということだ。だから、オレは明日、この赤ゼッケンをすててでも、チームのために走るつもりだ」

そういう東堂の手にはさっき表彰《ひょうしょう》台《だい》でわたされたばかりの赤い「3」のゼッケンがあった。

「メガネくん……」

坂道がよばれた。

「もし、体調《たいちょう》がすぐれないなら、すぐにでもねて回復《かいふく》させておくといい。明日は今日より――さらに過酷《かこく》なレースになるよ」

言い終わると、東堂はその場からスタスタと立ち去っていった。

かげる

はーー　はーーー　はーーーーーーー

ヤベ……ヘンなあせ、出てきた……。

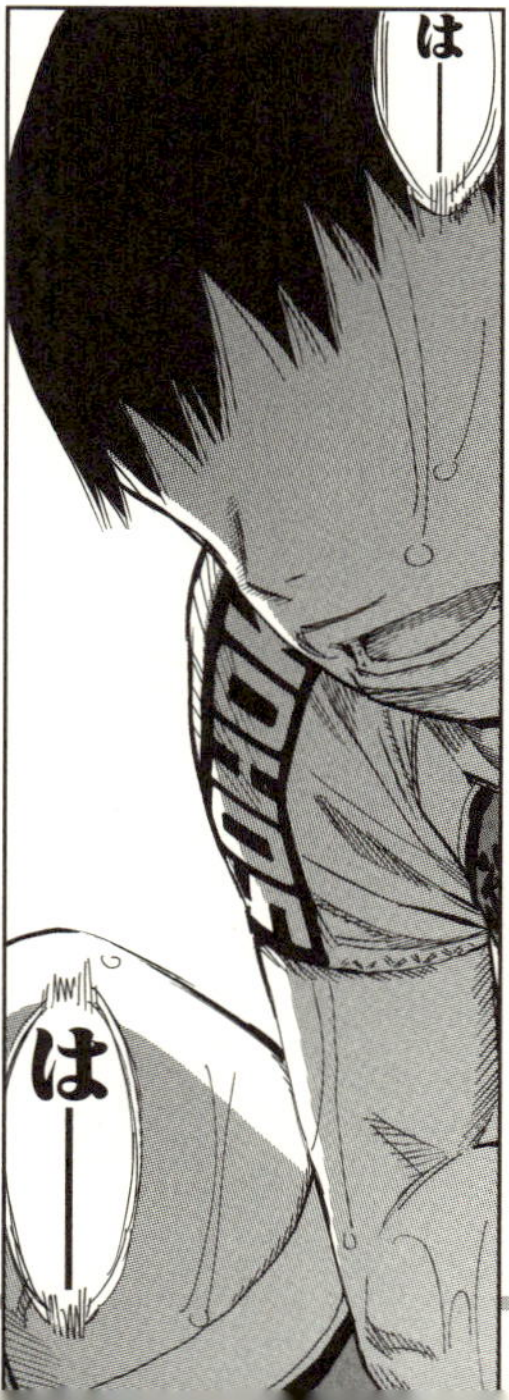

だれもいないトイレのうら手。地面にすわって苦しんでいる選手《せんしゅ》がいた。そばには緑色《みどりいろ》の172番のゼッケンが落ちている。ひろう元気もなさそうだ。

そこへ、巻島が来た。

「すまねえな。よびだして……食《く》ったもん、全部もどしちまってよ……。肩《かた》、かしてくんねーか」

それを聞いた巻島が青ざめた。

「いいか……巻島《まきしま》……このことはだれにも言うなよ。今、チームに心配はかけたくねェ。一年にも、手嶋《てしま》や青八木《あおやぎ》にも、金城《きんじょう》にもだ」

巻島は信じられなかった。目の前で体調《たいちょう》をくずして、田所がのたうちまわっているのだ。

とたんに、ミーン、ミーン、ミーン、ミーン、となくセミの音が不吉《ふきつ》な騒音《そうおん》になった気がした。

しりもちをついたまま、田所はゆっくりと巻島を見上げた。

田所の額《ひたい》からはあぶらあせが流れていた。見るからに苦しそうだ。

はーー　はーーー　はーーーーーーー

「巻島ぁ、オレたちは今、一日目……同着《どうちゃく》だが一位をとった。総北悲願《そうほくひがん》のインターハイ優勝《ゆうしょう》に、小せえが一歩《いっぽ》……足をかけたんだ。しかも、チームがまとまっている……‼　オモシれえくらいにいいふんいきなんだ」

巻島には、田所が拳《こぶし》をにぎりしめるのが見えた。田所はあらい息《いき》のまま、言葉をつないだ。

「闘《たたか》うためには、明日もメンバー六人全員《ぜんいん》が走らなきゃならねェ。一人でもかけたら勝ちはひろいにいけねェんだ。そういうじょうきょうで、チームにつまんねェ神経《しんけい》、使わせるわけにはいかねぇだろ‼」

「田所っち……‼」

「心配すんな。ちょっと暑さにやられただけだ……明日には絶対《ぜったい》に回復《かいふく》してるさぁ‼
それに……」

田所は手をのばして、緑《みどり》のゼッケンをひろった。

「オレには、こいつをせおって走んなきゃならねぇつう〝仕事〟がある。スプリンターあこがれのグリーンゼッケンだ。着ずに走れるかっつーんだよ‼　……だから今はすまねぇ、肩《かた》をかしてくれ」

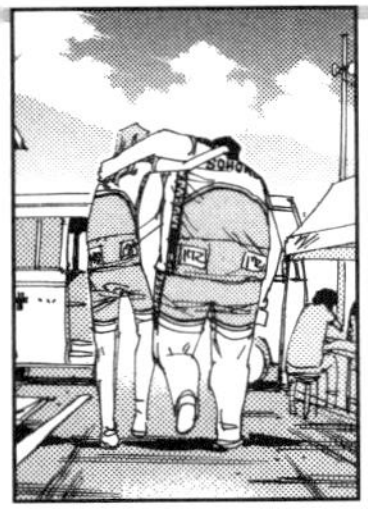

巻島《まきしま》は言葉が出なかった。見たことはだれにも言わないことにしようと思った。

「ショ…」

巻島は病人を運ぶかのように田所に肩をかしながら考えをめぐらせた。

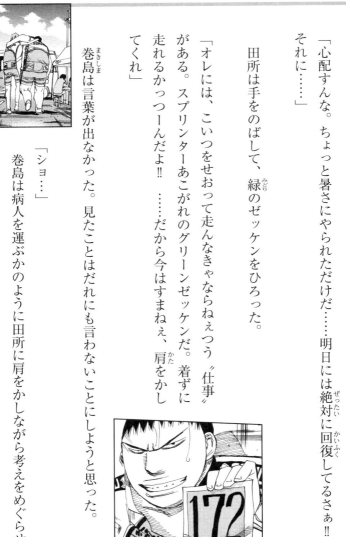

ロードレースの選手《せんしゅ》は食《く》うのも仕事……、
長いステージで、消化系《しょうかけい》にダメージきたらあとがねぇ――
っていつも言ってたのは、たしか田所っちだったか……。
巻島は田所を医務室《いむしつ》まで運ぶと、一人、テントまでもどってきた。

「あ、巻島さん、オッサン知りませんか?
さっきナンタラ新聞社の人が、トップスプリンターの取材コメントがほしい、って来たんすけど」
鳴子《なるこ》が声をかけた。

「田所っちは――」
巻島は一瞬《いっしゅん》、こまったような悲しい顔をした。

「あいつ……トイレの紙がないってさ、個室《こしつ》でまっさおな顔をしてたっショ。クハ……」

うそをついた。

「カッカッカッ、特大《とくだい》のウンコッスか‼」

と鳴子《なるこ》がごうかいにわらうと、坂道が

「いや……鳴子くん、特大かどうかは……」

とたしなめるが、鳴子のわらいはとまらない。

「特大に決まっとるで。レースのあとによー出るな。まだ、ねばっとるんでしょ？ カッカッカッ、オッサン、やっぱ、ただモンやないで」

それを聞きながら、巻島《まきしま》は不安にかられた。

田所っち……もし明日……。

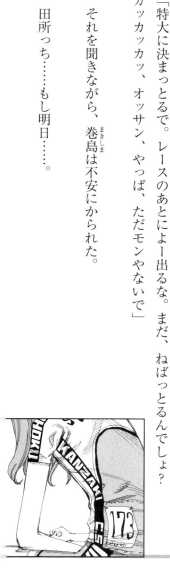

いやいや、ヘンなことは考えないようにしよう。
オレは悪いイメージがあたりやすいんだ……。
田所っちはもどってくるっショ。
明日はだれもかけることなく、出走《しゅっそう》するっショ！　六人全員《ぜんいん》で。

今泉《いまいずみ》の絶望《ぜつぼう》

そんな話の輪《わ》に入らない男が一人いた。今泉《いまいずみ》だ。
頭からバスタオルをかぶり、前かがみでテントのすみのクーラーボックスにすわったままだ。

まけ――――。
オレは完全《かんぜん》に御堂筋《みどうすじ》に敗北《はいぼく》した――――。

さっきから頭の中をぐるぐるしているのは、そのことばかり。
最後《さいご》の直線《ちょくせん》五百メートル、うしろから御堂筋《みどうすじ》が追ってくる。とめられない、ぬかれた。追えない、はなされる。そのシーンばかりが思いうかぶのだ。
御堂筋は中学時代からの因縁《いんねん》のライバルだ。

こんなことがあった。
中学時代、あるレース中、御堂筋がトップを走る今泉《いまいずみ》に「お母さんが事故《じこ》にあったらしい」とうそをついた。今泉の気持ちをみだして勝ちを持っていったひきょうなやつなのだ。
そんな相手に……。でも、結果《けっか》は結果だ。今日は高校に入って、初めての御堂筋との闘《たたか》いで、まけたのだ。

あいつをたおすために、

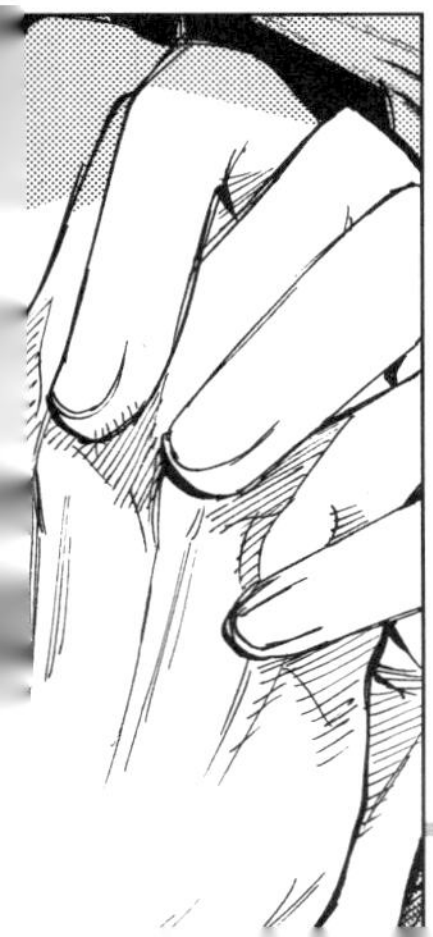

今まで積《つ》んできたトレーニングも、レースも、心構《こころがま》えも、オレの全《すべ》ての時間が無力《むりょく》だった。全て、全て、全て、オレはやつよりおとっているんだ。
おとっているのがはっきりとわかった。
オレは、このインターハイを走る理由《りゆう》は、もうない。

今泉は、ひとりで絶望《ぜつぼう》していた。いまにもなみだがこぼれそうだった。


今泉はだんっと、立ちあがると、ジャージをらんぼうに、くしゃくしゃっとつかんだ。

「どうした今泉」

金城《きんじょう》の声がした。

「体調《たいちょう》が悪いか？」

今泉は不意《ふい》をつかれて、心臓《しんぞう》がとびだすかと思うほどおどろいた。

心が読まれたか。巻島《まきしま》もこっちを見ていた。

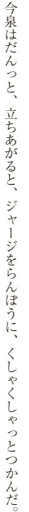

「いえ……あ……なんでもないです……すみません」

「そうか……。だが、ジャージはだいじにあつかえ。チームのほこりだ」

そう言って、金城《きんじょう》は今泉《いまいずみ》の肩《かた》に手をおいた。そして、耳元《みみもと》で今泉だけに聞こえるように言った。

「今日のおまえの走りは、チームを一位にみちびいてくれた走りだ。感謝《かんしゃ》している」

「……はい」

今泉は小さく返事をした。そのとき、

「おい、スカシ、移動《いどう》やで、移動！」

鳴子《なるこ》が今泉をよんだ。

「ホテルに行って休めるよ～」

と坂道も重そうなバッグを持ちながら、こっちを向いていた。

「アホか、小野田くん、あれはホテルちゃうで旅館《りょかん》やで完全《かんぜん》に。うあー、超《ちょう》フロ入りたいわ～」と、鳴子のはしゃいだ声がした。
「荷物《にもつ》は持つぜ」と、手嶋《てしま》が坂道に声をかける。
「ひゃ～すいません」
仲間《なかま》たちの和気《わき》あいあいとしたようすを見て、

「ああ」
と今泉は返事をした。
少し元気が出てきた。

そんな今泉を見て、巻島《まきしま》が、
ク……、どいつもこいつも……これ以上《いじょう》、ハラハラさせるなよ……。まだ一日目だぜ……。
とつぶやいた。

一日目の夜

箱根《はこね》学園《がくえん》の旅館《りょかん》では、ミーティングが始まっていた。

「ご苦労《くろう》だったな、一日目。とくに、泉田《いずみだ》、東堂《とうどう》、荒北《あらきた》の仕事は十分な活躍《かつやく》だったとオレも、そしてまわりも評価《ひょうか》している」

とキャプテンの福富《ふくとみ》が話す。

「ハッ、オレは納得《なっとく》いってねーけどな」とエースアシストの荒北が不満《ふまん》を言う。

「いや十分だ。一位はとれた」と福富が言った。

「チッ、ブッチギリでとりたかったんだよ、オレは」と東堂がうで組みをしたまま言うと、

「それは三日目にやればいい。荒北と泉田、東堂は、明日の前半は足を休めろ」
と福富は明日の作戦《さくせん》をメンバーに伝えた。

名前をよばれた三人はおどろくも、福富のまさかの作戦に耳をかたむけていた。福富は動じない。

「きびしい闘《たたか》いにはなるが、だいじょうぶだ。フレッシュな男を一人残してあるからな、やれるな、新開《しんかい》！」

新開とよばれた男は、おくのいすにすわっていた。

髪《かみ》をかき上げながら、

「フ……福富《トミー》。一日目――、オレはなにもしてねーんだ。やれるさ……‼ オレの足は満《まん》タンだぜ‼」

と目をギラリと光らせた。

希望《きぼう》の夜

「ぐわーーーーーーーーーー、

マジで……生きかえるーーーーーーーーー♡」

大きな声を出したのは鳴子《なるこ》だ。

総北《そうほく》高校の宿舎《しゅくしゃ》の旅館《りょかん》。フロから出てきたばかりの鳴子と坂道は、大《だい》の字《じ》になってフッカフカのふとんの上に体をのばした。

「アカン、もうこのままフトンと同化《どうか》するわーーーー」

「そうだねぇ〜〜〜〜〜〜〜〜」と坂道も手足をのばした。

「レースのあとのフロは天国やでマジで」

「手と足がジンジン、しびれてるよ〜〜〜は〜〜〜」

「小野田くん、ジュース！」

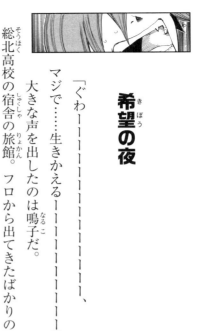

「はーい」
と坂道は起きあがった。
「じょうだんや、じょうだん。つかれとるんやから、ことわれや。ったく、人がええなあ。あとで杉元《すぎもと》にいかそう」
「それも悪いよ〜〜〜」

フロ上がりの二人は、そんな会話をしながら、ふとんの上に横になっていた。

「すごいレースやったな」

と鳴子が言った。

「……うん‼」

と坂道が答えた。

「箱根学園《はこねがくえん》のマツ毛くんと勝負《しょうぶ》して、山では小野田くんが追いついて、スカシと金城《きんじょう》さんでゴールをとって。タスキをつなぐみたいでおもろかったわ。正直、ワイ、チーム戦《せん》って初めてやったんや」

「……チーム戦《せん》？」

「そうや。ふつうの一日のレースはたいがいが個人戦《こじんせん》や。あ、〝一日《ワンデー》レース〟言うねんけどな。一年生レースみたいにだれが勝って、だれかがまけたみたいなレースや。けど、何日かかけて走る〝ステージレース〟は、おのずとチーム戦になる。チームが協力しあったほうが、一人で闘《たたか》うよりもはるかに有利《ゆうり》やからな。

まァ、個人戦もおのれの体ひとつの勝負《しょうぶ》やからオモロイけれど、チーム戦はまたべつや。

闘いの集団《しゅうだん》の中に仲間《なかま》がおるいう感覚《かんかく》はしんせんやった。

百人以上の集団の中に、絶対《ぜったい》、うらぎらん仲間がおるんや、五人もな。

ワイ、初めてやったわ、あんなに安心してゴールすんの」

「仲……間」

と坂道は、思い返していた。

「明日もキバるで‼　小野田くん！」

「うん！」

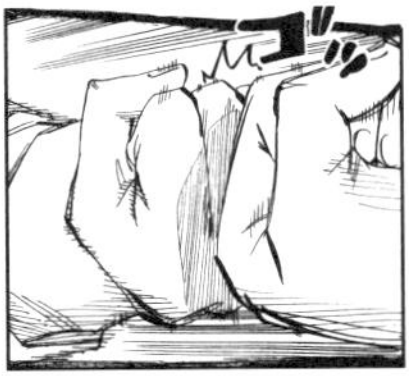

二人はふとんにひっくり返ったままで、拳《こぶし》をゴツンとぶつけあった。そこへ、

「小野田！　お客さんが来てるぞーー」

と、金城《きんじょう》が入ってきた。

「女性《じょせい》だ」

「えーーーーーーーーーーーーっ」

鳴子《なるこ》がぴょんととび起きた。

二人は、急いで旅館《りょかん》のげんかんへ行った。

とつぜんの客

「さかみちーーーーーー!!」

金城《きんじょう》が「この方だ」とあんないしてきた。

「なんか坂道が箱根《はこね》に行くっていうもんだからさ、母さん、なんだかそわそわしちゃって。つい、箱根に旅行《りょこう》に来ちゃったわよーーーー、主婦会《しゅふかい》のいつもの三人で!! やっぱりいいわね、箱根はすずしくて!! 明日は仙石原《せんごくばら》に行くのよ。あなたたちはもうロープウェイはのったの!?」

まくしたてるように一気《いっき》にしゃべるおばさんに、金城も鳴子《なるこ》もどぎもをぬかれた。

「ひょっとして、ひょっとせんでも、小野田くんのオカンか?」

と鳴子がこそっと聞いた。坂道ははずかしそうに、「はは…うん」と答えた。

「黒い温泉《おんせん》タマゴがあるのよ。明日、掛川《かけがわ》さんと篠原《しのはら》さんと食べるのよー」

「はしゃぎすぎだよ……母さん……。な、なんでここまできたんだよ」

と坂道が聞くと、

「一応《いちおう》、せっかくだから顔を見ておこうと思って、フフフ♡」

「フフフじゃないよーーー」

「あ、安心して。とまるところはべつにしたから」

「あたり前だよーーーーーーーー!!!」

そんなやりとりをしている母子に、金城が近づいてきた。

「小野田くんをあずかっています、主将《しゅしょう》の金城と言います」

と自己紹介《じこしょうかい》した。

「あら、部長《ぶちょう》さんだったの。ふけてるわねー」

「ちょ、母さん！」

と、坂道は心臓《しんぞう》がとび出すかと思った。

「今日のレースはごらんになりましたか？」

と、金城はいつものように冷静《れいせい》に言った。

「……」

母さんのしゃべりがようやくとまった。なにか言いたそうだった。

坂道と金城《きんじょう》は、母の言葉を待った。

金城が、坂道の背中《せなか》をぼんとたたいて「かれの活躍《かつやく》が……」と言いかけたとき、母は「レースってなに？　車のレースかなにかやっていたの？　そういえば、はたがたくさん立っていたわね」

「小野田……、おまえ、ちゃんと説明《せつめい》しているのか？」

と金城が小声で坂道にささやいた。

「……あ……しているんですけど、理解《りかい》してくれなくて……」

坂道もささやき返した。

「あ！　なるほど、これね！」
と母がなにかに気づいて、大きな声を出した。
「これにのって箱根《はこね》まできたのね〜へ〜感心、感心」
とげんかんにあった自転車を見ている。

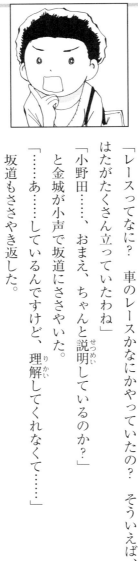

「いや、母さん……それはたぶん旅館《りょかん》の自転車だよ」

とんちんかんにもほどがある、と坂道ははずかしかった。

「この荷台《にだい》に荷物《にもつ》をのっけるんでしょ。これは大きいから主将《しゅしょう》の？」

「いえ、ちがいます」

と金城が冷静《れいせい》に答える。

「そう～、大変だったんでしょう。今日は暑かったしねー」

母はあくまでマイペースだ。

「時《とき》に坂道！」

母は言った。
「あなた、ぶじにこられたの？　ここまでケガはなかった？」
「え……ケ……あ、え……と、一回、ころんだ」
「そう」

母はやさしい顔になった。

「いいんじゃないの、一回ころんだぐらいが、男の子だもの」

そういうと、バシバシと坂道のうでをたたいた。

「友だちに助けてもらったの？」

「あ……うん、手嶋《てしま》さんと青八木《あおやぎ》さんていう先輩方《せんぱいがた》に……」

坂道の返事を聞いたのか聞いてないのか母は
「あなた、お友だちね。写真で見たことがあるわ。

坂道をお願いね」

と鳴子《なるこ》に話しかけていた。

そして、金城《きんじょう》に向かって言った。

「不器用《ぶきよう》だから、めいわくかけると思うけど、守ってあげてね、部長《ぶちょう》さん」

金城は母の目を見つめていた。そして母は坂道のほうに向いた。

「坂道、あなたは、強くなりなさい。

せっかくできたお友だちやりっぱな先輩方にめいわくをかけないように、一生懸命《いっしょうけんめい》走りなさい。まだあと二日くらい自転車で走るんでしょ?」

「う……うん」

「ね!」

「うん‼」

「日焼けして、少したくましく見えるわね」

そう言うと、母は旅館《りょかん》のげんかんをあとにした。

「あ!」

すぐにもどってきた。

「そうそう、はいこれ。部長さんに代表してわたしておくわね、明日も暑いって言うから、途中《とちゅう》でジュースでも買いなさい」

五千円札《さつ》を、ポンと金城にわたした。

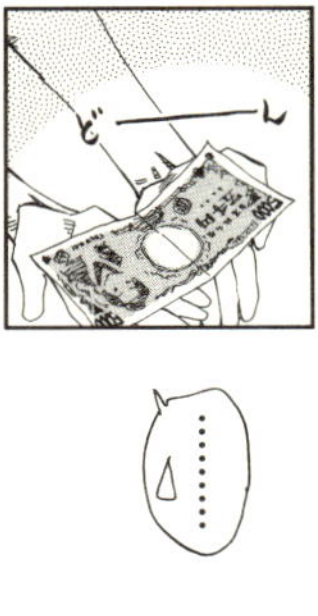

「スピードは出しちゃダメよ。車が来たら左によけて。つかれたら休みなさいよ、コンビ

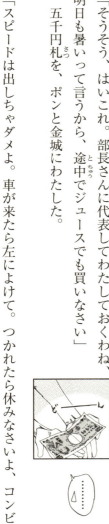

ニでもどこでもいいからとまってね‼」

母さん……だから……これは……サイクリングじゃなくて……

レース……なんだって……。

母は、あらしのようにやってきて、言いたいことを言いたいだけ言って、去っていった。

「台風みたいなオカンやな」

と、鳴子《なるこ》がぽつりと感想《かんそう》を言った。

「けど、案外《あんがい》、いいこと言いよる。強くなれ……か。ワイもキバらなアカンな。インターハイはチーム戦《せん》や。ロードレースはマラソンと同じで、ルールはシンプル。よーいどんでスタートして、一番早くゴールについたやつの勝ちや」

ロビーの自販機《じはんき》でのみ物を買いながら、鳴子が解説《かいせつ》する。

「マラソンとちゃうところは、チーム戦では一人やないというとこや。もし、チームの全《ぜん》

員《いん》が一位になろうと思たら力が分散《ぶんさん》してしまう。せやから、エースを決めて、エースを勝たす。時には風よけになって敵《てき》と闘《たたか》って……。そうやって、みんなで一枚のジャージをゴールにとどける。

そりゃ、かんたんなことやないで。敵も同じように、その一枚をとどけようと全力をつくしてくるんやからな。

落車《らくしゃ》で骨《ほね》を折《お》るかもしれん。リタイヤするヤツが出るかもしれん。一秒差《びょうさ》で敵にゴールをうばわれるかもしれん。けど、みんなの力でジャージをとどけるんや。インターハイの優勝者《ゆうしょうしゃ》は、リザルト上は一人やけどな。小野田くん、三日目にもし一番最初《さいしょ》にジャージをとどけられれば、チーム六人全員《ぜんいん》が表彰台《ひょうしょうだい》に上がれる。六人全員がたたえられるんや!!」

坂道は想像《そうぞう》した。

三日目のゴール……どんなところだろう……。

今日だけでもすごく大変だった。足もこわばって、こんなにくたくたなのに、残り二日……本当に二日間も走って、ゴールまで行けるのか。

いや——

坂道はさっき、東堂《とうどう》が「死闘《しとう》になる」と言った言葉を思い出し、そばにいた金城《きんじょう》に向かって声をかけた。

「部長《ぶちょう》さん、明日もボクにできることがあれば、なんでも言ってください」

金城《きんじょう》はきびしい顔をしていた。

「……たとえ……過酷《かこく》なオーダーになってもか？」

と、坂道に聞いた。

「はい、ボクはこの目でゴールを見たいんです」

と坂道はしっかりと答えた。

なにがあっても行くんだ、三日目のゴールまで、

チームみんなの力で‼

と坂道は心に想《おも》いをきざんだ。

軒先《のきさき》では、せんたくしたての総北《そうほく》のジャージが六枚、風にゆれていた。

明日また、このジャージでロードを走るのだ。

手嶋《てしま》のマッサージ

母を見送り、広間の部屋にもどると、

「小野田！」

と坂道は、手嶋先輩《てしませんぱい》によばれた。

「ふとんにうつ伏せになれ、マッサージしてやるから」

「え？」

「うっ」

手嶋は、ねそべった坂道のしりの上にまたがって、両手で坂道のこしをもみ始めた。

「どうだ？」

かくれた才能《さいのう》なのか、手嶋のマッサージはとてもうまかった。

「あー、気持ちいいです」

「あんだけ走ったんだ、筋肉《きんにく》がかちこちになっているぞ」

「す、すいません。本当にいいんでしょうか、先輩《せんぱい》にマッサージなんかしてもらって……、あの自分でやりますから」

坂道はもうしわけなくて、そう言った。

「できねーだろ！　いいよ、メンバー全員《ぜんいん》やっている」

「すんまへん」と、坂道のとなりでは鳴子《なるこ》がマッサージをうけている。

今日一日、激走《げきそう》したメンバーは、部屋のあちこちで、みんなマッサージをうけている。レースの夜にマッサージするのは、補欠《ほけつ》メンバーの役割《やくわり》なのだ。

手嶋《てしま》の手のひらが、坂道の肩甲骨《けんこうこつ》のあたりにのびてきた。あたたかかった。ハンドルをずっとにぎっていたせいか、背中《せなか》の肉もこわばっている。手嶋は指先《ゆびさき》でさすったり、おしたりした。

坂道の背中をほぐしながらこういった。

「小野田、回復《かいふく》も仕事だ」

「回復？」

「筋肉《きんにく》ほぐして、食《く》って、ねる。それが〝回復〟の基本《きほん》だ」

手嶋は手を動かしながら、話し始めた。

「総北《そうほく》はメンバー六人が一人もかけちゃいけないチームだ。正直、箱根学園《はこねがくえん》も京都伏見《きょうとふしみ》も強い。奈良山理《ならさんり》も、金沢三崎《かなざわみさき》も、熊本台一《くまもとだいいち》だって名門だ。けど、その名門をしりぞけて、オレたちが初日の一位をとれたのは、チームの力だ」

坂道はその声を聞いて、ねそべりながらふり返った。


手嶋が坂道をやさしい目で見おろしていた。そしてこう言った。

「六人全員が同じ意思《いし》を持って助け合った結果《けっか》だ。だれかが一人、かけても今日の優勝《ゆうしょう》はなかったとオレは思っている。だから、回復するのもおまえたちの仕事なんだよ。そのためだったら、オレたちもできるかぎりやるさ。すべてはチームのためだ」


チーム……!!

「……はい‼」
手嶋《てしま》の上手なマッサージはありがたかった。本格的《ほんかくてき》レース初挑戦《はつちょうせん》の坂道は、チームとは、走る選手《せんしゅ》だけではなく、ささえるメンバーもふくめてチームなのだと深く感じた。

そして、手嶋は坂道に、作戦《さくせん》をさずけた。

「小野田。明日、いきなり全開《ぜんかい》はするなよ。まずは六十パーセントの力でスタートするんだ。七十パーセントまで時々上げて、八十パーセントで平均《へいきん》をたもてれば、それができるなら、ほぼ回復《かいふく》できていると考えていい」

「はい……」

未知《みち》のレースにいどむ坂道は、その夜、ぐっすりとねむった。

第三章

暗雲《あんうん》

二日目スタート

翌朝《よくあさ》――

レース二日目。天気は快晴《かいせい》。

史上初《しじょうはつ》の三校同着《どうちゃく》一位という結果《けっか》が広まったせいか、例年以上《れいねんいじょう》のもり上がりを見せるインターハイ。

スタート地点は昨日より多くの観客《かんきゃく》でごったがえしていた。

「来たぞ」

「あれが千葉《ちば》の総北《そうほく》だ！」

客が指さすほうから、金城《きんじょう》を先頭《せんとう》に黄色い

ジャージの総北が現れた。無名《むめい》のチームだったのが、昨日のレースで一気《いっき》に名前が広がったのだ。

「千葉の総北高校‼　一日目、まさかの同着一位に食《く》いこんだ伏兵《ふくへい》だよな」

とロードレースファンの声が聞こえる。

「見ろよ、グリーンゼッケン‼　そして、前日一位の証《あかし》、イエローゼッケンだ‼」

田所のジャージには緑色《みどりいろ》の172番、金城には黄色の171番がついている。せんたくしてかわいたジャージに、マネージャーのミキがぬいつけたものだ。

そして、かれらのうしろに赤い髪《かみ》をなびかせて鳴子《なるこ》、クールなまなざしで巻島《まきしま》、まじめな表情《ひょうじょう》の今泉《いまいずみ》、気合《きあい》が入った坂道が続《つづ》いている。

「総北ぅーー、がんばれよーー‼」

「今日も見せてくれよーー‼」

「いい走り期待《きたい》してるぞーーー‼」

と、応援《おうえん》の声がとんだ。

急に田所が立ちどまり、
「見とけよ、今日も総北《そうほく》はあばれるぜ‼」
と客に向かってさけんだ。田所のパフォーマンスに、

オオオオ！

客たちがわいた。

それを見た巻島《まきしま》は「なんとか回復《かいふく》したようだ、よかった」という表情《ひょうじょう》を見せた。

坂道が「鳴子《なるこ》くん、二日目がんばろう……がんばってみんなといっしょに三日目、ゴールまで行こう‼」

と気合《きあい》を入れれば、
「ったりめーや‼」と鳴子がこたえる。

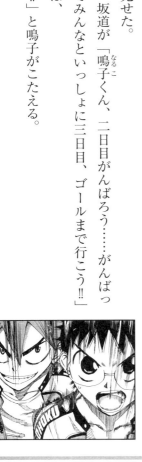

スタート地点のゴールアーチは、夜のうちに「ゴール」から「スタート」につけかえられた。つまり、一日目のゴール地点からスタートするのだ。

今日、二日目のコースは、約百キロの長丁場《ながちょうば》。一日目が約五十キロだったことを考えると、かなりの長さだ。

レースは、ここ芦ノ湖《あしのこ》湖畔《こはん》をスタートすると、箱根町《はこねまち》の国道一号線を進む。スタート直《ちょく》後《ご》から急坂を登ることになる。そして標高《ひょうこう》八百四十六メートルの箱根峠《はこねとうげ》をこえると、一気《いっき》に海に向かって下っていく。あとは平坦《へいたん》コースの国道一号をひた走り、139号線を山に向けて登る。

三日間の大会中、もっとも長いステージである。

バシャッ！　ピピッ

フラッシュがたかれて、坂道と鳴子《なるこ》は写真をとられた。

「ひゃっはっ、え、なになに写真⁉」とおどろく坂道。

「ごめんね、笑顔《えがお》でもらえるかな？　スタート前、これからやるぞーって感じで」

と、記者《きしゃ》が話しかけてくる。昨日の一位チームは注目を集めており、レース前に取材《しゅざい》が来るのだ。

「ええっスよ。わらいや、小野田くん。この写真は全国版《ぜんこくばん》のニュースや雑誌《ざっし》にのるんやで」

「ぜぜぜ全国版？　ヒエーーーーーー」

「昨日、優勝《ゆうしょう》とったチームやから注目されとるんや‼」

その横を、「やあ、おはよう、坂道くん」と箱根学園《はこねがくえん》の真波《まなみ》が通っていった。

「調子《ちょうし》はどうだい、メガネくん」と、東堂《とうどう》も声をかけていった。

坂道はハッとした。箱根学園の年上の人に、完全《かんぜん》に顔をおぼえられたのだ。

「それでは箱根学園のみなさんがおそろいのようなので、
みなさんで撮影《さつえい》お願いしまーす」
とさっきの記者が声をかけた。
箱根学園と総北《そうほく》のメンバー全員《ぜんいん》で写真をとろうというのだ。

全員がならんだ。

「おいっ、新開《しんかい》、目立ちすぎじゃないのか！　写真的にはオレが前だろ、ビジュアル的に」

と東堂《とうどう》が言った。

「ん？　そうか？」

と新開はすっとぼけていた。

「こっち、目線《めせん》くださーい」

「今日の抱負《ほうふ》、もらえる⁉」

無数《むすう》のシャッター音とともに写真がとられていく。カメラのレンズが何本も両チームの選手《せんしゅ》たちに向けられた。

それを見て、

「注目も集まるはずやで」

と鳴子《なるこ》が言った。

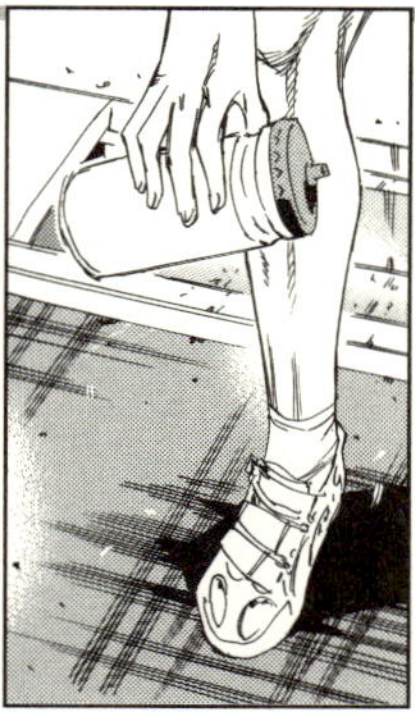

「例年《れいねん》なら、王者箱根学園《おうじゃはこねがくえん》が独占《どくせん》しとるはずの三枚のゼッケンを、今年は総北《そうほく》が箱根学園と同じ数、持っとるんやからな。小野田くんもビシッとキメ顔いっとけよ」

と坂道に言った。

「び、びしっとなってるかな。ぜ、全国に写真が出るんなら、これくらいがいいよね?」

坂道は手で髪《かみ》の毛をいじっていた。

「いや……正直、小野田くん、かっこ悪いで」

なれない撮影《さつえい》で坂道はガッチガチにきんちょうし、思わず持っていたボトルを落っことした。ボトルはゴロゴロところがっていった。

「あああ、ボトルが――」と坂道が追いかけると、

「ほらよ」

ひろってくれたのは、むらさき色のジャージの選手だった。

「はあ、すいません、すいません、ありがとうございます」

「これ、キミのん？　きんちょうしとるみたいやな。
だいじょうぶ？　一年生か？
ボクも一年生のインハイのときはきんちょうして
なァ、最後《さいご》までフワフワした気持ちで走ったモンやわ。
ボクは三年の石垣《いしがき》……む？」
石垣と名乗った男のむねには「京《きょう》都《と》伏見《ふしみ》」の文字が
あった。御堂筋《みどうすじ》がいるチームだ。

石垣は坂道の黄色いジャージに気がついた。
総北《そうほく》？
イエロージャージ？
メガネ？
あああーー、こいつ、あのとき、御堂筋を追いかけてって勝負《しょうぶ》したヤツだ!!

思ったよりも小さい……。自転車に乗っているときはもっと大きく見えた。

御堂筋に登りでついていく男……176番。

信じられへんな、あんなヤツが……いや、御堂筋も一年だから、ありえない話じゃないが……。でも、ふしぎなオーラを持つやつだ。御堂筋とはまたべつの……。

いよいよ二日目スタート

レース発走直前《はっそうちょくぜん》。総北の作戦会議《さくせんかいぎ》だ。

金城《きんじょう》がメンバーの顔をぐるっと見回したあと、指示《しじ》を出していく。坂道はひときわ集中して話に耳をかたむけた。

「二日目は、最初《さいしょ》にみじかい登りと長い下りはあるが、基本的《きほんてき》には起伏《きふく》の少ないロングステージだ。おそらく、相当《そうとう》がまんのレースになる。ほかのチームは脱落者《だつらくしゃ》も出るだろう」

脱落者……リタイア……!!　と坂道はハッとした。

金城《きんじょう》の話は続《つづ》く。

「ロングステージでは、六人全員《ぜんいん》がかたまってローテーションしながら走るのが、一番安全でかつ効率《こうりつ》がいい」

二日目は〝着順《ちゃくじゅん》スタート〟だ。昨日ゴールした順番《じゅんばん》にスタートしていく。

つまり、スタートに時差《じさ》ができる。金城のスタートの後に今泉《いまいずみ》がスタートし、さらにその二分後に、ほかの四人がスタートすることになる。

金城は、田所、巻島《まきしま》、鳴子《なるこ》、小野田の四人の顔を一人ひとり見た。

「今泉は、スタートしてすぐにオレに追いつき、前に出て、サポートをたのむ」

「はい」

「そして、小野田」

「は、はい！」

きた、と坂道はきんちょうした。
坂道は、金城がところどころで指示《しじ》を出してくることに少しずつなれてきた。最初《さいしょ》のころは名前をよばれるたびにビビってばかりだったけれど、チームの一員《いちいん》として、やっていける自信がつき始めている。
「小野田、スタート直後《ちょくご》、鳴子、田所、巻島、全員を引っぱり、峠《とうげ》を登り、先を走っているオレと今泉になるべく早く追いつけ!!」

「……はい!!」

「過酷《かこく》だが……たのむぞ」

坂道はドクンドクンと心臓《しんぞう》が高鳴《たかな》った。

だけど、もう「それがぼくの役割《やくわり》ですか?」とは聞かない。チームの中で、六人が一人ひとり、役割をもつことを、昨日一日でいやというほどわかったからだ。それが、自転車のレースなのだ。

総合優勝《そうごうゆうしょう》はみんなの悲願《ひがん》だ。昨日、ボロボロになりながらも、みんなの力でここまで来たんだ。最後には、ボクはだれ一人かけずに六人全員《ぜんいん》でゴールにたどりつきたいんだ!!

「よし、みんな、今日もがんばろう」

と金城《きんじょう》が最後《さいご》に言った。

メンバーは引きしまった表情《ひょうじょう》になった。

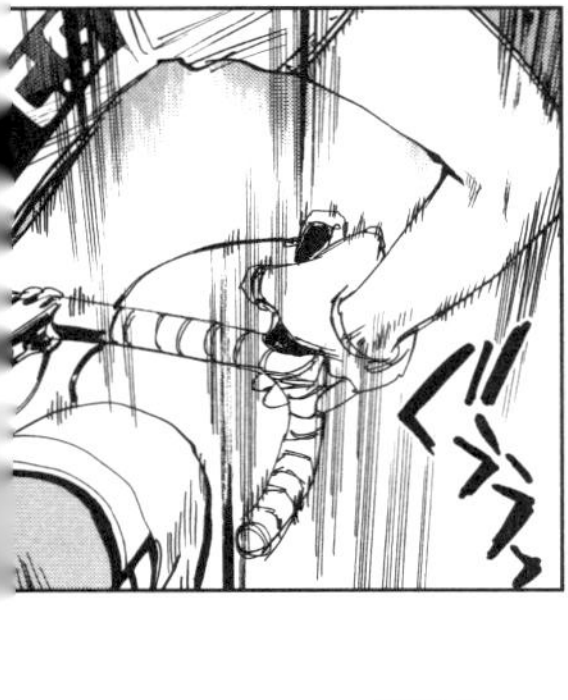

坂道はヘルメットのあごひもをつけ直した。

そして、すーっと深呼吸《しんこきゅう》をひとつした。

「よし‼」

「まもなく、インターハイロードレース男子二日目、スタートします！」

と実況《じっきょう》アナウンサーの声がひときわ高くひびいた。

「二日目のロングステージをせいするのは一体、どのチームか‼」

スタート地点では、タイムキーパーが、「着順《ちゃくじゅん》スタートとなります。各イエローゼッケンの選手《せんしゅ》は準備《じゅんび》お願いします」とつげた。

箱根学園《はこねがくえん》の福富《ふくとみ》、総北《そうほく》の金城、京都伏見《きょうとふしみ》の御堂筋《みどうすじ》が同一スタートラインにならんだ。

それを見ながら、

「いいか、インターハイは着順《ちゃくじゅん》スタート‼　特別《とくべつ》ルールだ。まちがえるなよ、おまえら」

坂道たちにあらためて田所が説明《せつめい》する。

「昨日一分差《さ》でゴールしたやつは、一分差でスタートする。タイムキーパーの指《し》示《じ》にしたがってのスタートだ。金城《きんじょう》が出たあと、今泉《いまいずみ》が出るのは一分五十秒後《びょうご》。オレたちがスタートするのは、金城たちが出て三分四十秒後だ」

今泉が「一日目とちがってパレード走行《そうこう》はないぞ。始まった瞬間《しゅんかん》からいきなりレースだ。競争だ」と言っていたのを坂道は思い出した。

坂道は前を見た。スタートゲートをこえると、目の前にすぐに上り坂が見えている。

三分四十秒後……!!
三分四十秒後から勝負《しょうぶ》が始まる!!
目の前のあの坂から……!

坂道はぷるぷるっと武者《むしゃ》ぶるいをした。

「鳴子《なるこ》くん、もう一回、最後《さいご》に、根性注入《こんじょうちゅうにゅう》!!

もらえるかな……!!」

と坂道は鳴子にたのんだ。

「気合《きあい》、入れるで」

ゴン

鳴子は拳《こぶし》をつき出した。坂道は自分の拳を
ゴンとぶつけた。

「ないてもわらっても、今年のインターハイの二日目は、一回こっきりや、小野田くん!!」

「うん!!」

やがて、定刻《ていこく》となった。

パァン

スタートの合図《あいず》の音が鳴《な》って、福富《ふくとみ》、金城《きんじょう》、御堂筋《みどうすじ》の三台が同時に発進《はっしん》。走行距離《そうこうきょり》百キロ以上の長い闘《たたか》いのステージのスタートだ。

「ぉおおおおおおおおおおお!」

大きな拍手《はくしゅ》と歓声《かんせい》がわき起こった。

スタート地点には、タイムキーパーがいて、手元《てもと》のストップウォッチを見つめている。
正確《せいかく》に時間をはかって、つぎの選手《せんしゅ》にスタートの合図を送るのだ。
続《つづ》いて、四番目に箱根学園《はこねがくえん》の荒北《あらきた》、五番目に総北《そうほく》の今泉《いまいずみ》がスタートした。

今泉くんも出た……！

坂道はスタートを実感し、ドキドキした。
そのとき、うしろから田所のエールがとんだ。

「小野田!!」
「はい」
「おめーは速《はや》い!!　速い!!　いけ!!　いけ!!　まっすぐ前見て走れ!!」
「六位以下順次《いかじゅんじ》スタートです！」というタイムキーパーの合図で坂道、

SOHOKU
176
174
4
SOHOKU

スタート。ぎゅっとペダルをふんだ。

「追いつくぞオオ！」と田所の声があとおしした。

「はい‼」と坂道は返事をした。


坂道はこぎ始めた。

まずは先を行く金城《きんじょう》と今泉《いまいずみ》に追いつき、チーム総北《そうほく》の六人がひとかたまりになる。これが金城主将《しゅしょう》の作戦《さくせん》だ。すぐそばを箱根学園《はこねがくえん》の集団《しゅうだん》が走っている。

天気は今日もいい。さわやかな夏空が広がっている。

標高《ひょうこう》も八百メートルまでになると、そんなにむし暑さは感じない。木かげがところどころにある高原の道は気持ちよかった。昨夜のマッサージがきいたせいか、坂道は身も心もリフレッシュし、いい気分だった。

コーナーをいくつかぬけて、坂道はペースを少しずつあげていった。

「おお、きたぞ、第一集団《だいいちしゅうだん》！」

朝早くから沿道《えんどう》にはファンが来ている。
その前を、坂道がかけぬけていく。
「やっべ速《はえ》っえ!!　登りだろ、ここ。小《ちい》せえのに速ええぞ、176番!!」
と、坂道のハイケイデンスの走りにおどろいている。

ハァ、ハァ、ハァ、ハァ、ハァ、
ぐるぐるぐるぐるぐるぐるぐるぐるぐる

ありがとうございます、田所さん!!　鳴子《なるこ》くん!!
待っててください!!
追いつきます!!
今泉《いまいずみ》くん!!
金城《きんじょう》さん!!　すぐに!
坂道は絶好調《ぜっこうちょう》だった。ペダルを思いっきりふんで前に進めた。

あらたな観客《かんきゃく》

沿道の観客《かんきゃく》の中に、おさげにメガネの女子高生がいた。箱根学園《はこねがくえん》で真波《まなみ》と同じクラスの「委員長《いいんちょう》」だ。ロードレースを初めて見にきたのだった。

もーー、まったく、ロードレースってなに？

なにがおもしろくて、この人たち、集まっているのかしら。わたしは……たまたま地元《じもと》でやっているっていうから、まあ、たまには真波くんののっている自転車っていうのを見てあげてもいいかなって……、それだけよ。

「おい、おねえちゃん、そこ内側《うちがわ》だから出すぎるとあぶないぞ」

と、となりの客が声をかけた。

「え？　あぶない？　なにが？」

委員長《いいんちょう》はついつい、白線をのり出して立っていた。

「もう来るよ。……来たぞ‼」

「あ、真波《まなみ》く……」

ジャアアアアアアアアアアアアアアアアアアア——

真波を先頭《せんとう》にした箱根学園《はこねがくえん》の青いジャージの集団《しゅうだん》が坂を登ってきた。コーナーのイン側《がわ》に体をかたむけた真波の肩《かた》が、委員長のすぐ目の前をかすめた。
あぶない、ぶつかるところだった。

強い風がふいて、委員長のほおに当たった。
青いジャージは一瞬《いっしゅん》で通りすぎた。

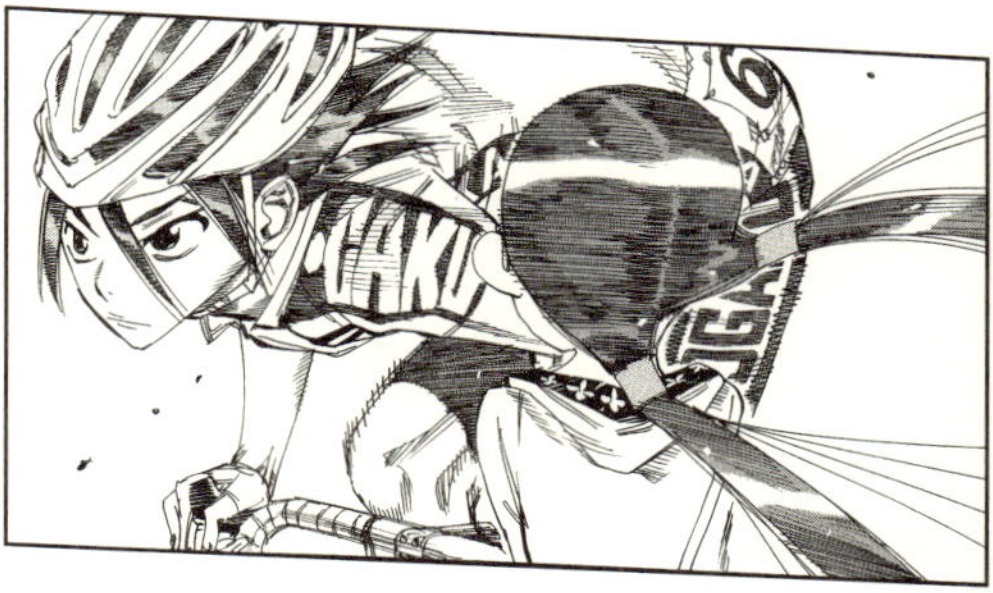

なに　今の……
風……⁉　すご……　自転車って……
近……　速《はや》っ……
心臓《しんぞう》がドキンドキンとした。びっくりして持っていたカバンを
思わず、ぎゅっとにぎりしめた。

……あ
さ、差《さ》し入れ、わたせなかったな……
せっかく朝からにぎってきたのに、おにぎり、
ていうか、今の速度《そくど》じゃムリじゃない‼　もー‼　さんがくーー‼

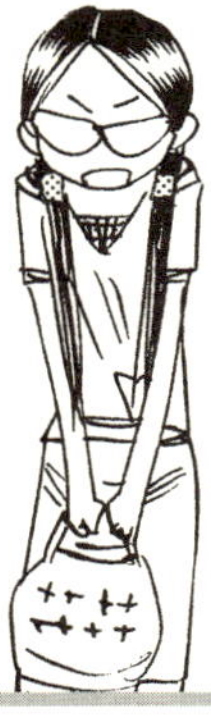

箱根学園《はこねがくえん》を引っぱる真波《まなみ》は、

「今、委員長《いいんちょう》、いたなー」

と気づいていた。高速走行中《こうそくそうこうちゅう》でも目のはしで見えていたのだ。

「でも、ごめん、ちょっと話しているヒマはないや。三分先にいる福富《ふくとみ》さんに合流しないといけないいんだ!!」

チームの力

坂道の視界《しかい》には、真波が引っぱる箱根学園の四台が入っている。

箱根学園が福富－荒北《あらきた》との合流を急ぐように、坂道も金城《きんじょう》－今泉《いまいずみ》との合流を急いでいる。

ここまでは同じ作戦《さくせん》だ。


いける!! だいじょうぶだ!!

足がだいぶ「回復《かいふく》」してる!!

坂道はありったけの力でペダルをふんでいた。

行こう、このまま‼　追いつこう‼

金城さんたちへ‼

チーム全員の力で、三日目まで行くんだ‼


坂道はいつものように走れることに自信を持った。

「昨日のレースでボロボロだったから、ちょっと不安だったけど、マッサージのときに手嶋《てしま》さんが言ったとおりだ」と思った。


そうして、しばらくしたときだった。

「おい、鳴子《なるこ》ォ……‼」

坂道のうしろを走る巻島《まきしま》が、そのすぐうしろを走る鳴子をよんでいる。

「なんすかァ⁉」

「田所っちはいつから来てない？」

「え⁉」

鳴子《なるこ》はびっくりしてふり返った。

坂道もふり返った。坂道のうしろには巻島《まきしま》がいて、鳴子がいて……そのうしろに田所が

……いない。

「田所さん……なにかあったんですか」と坂道はこぎながらさけんだ。

始まったとたんに、またなにかが起こった⁉

坂道は、背筋《せすじ》がひやーっとした。

「オッサンが来てない！」

と鳴子がさけんだ――――！

グリーンゼッケン

そのころ、スタート地点はどよめきにつつまれていた。

「インターハイ　ロードレース男子　二日目　スタート」と書かれた大かんばんの下で一台のマシンが止まっていた。

「グリーンゼッケンがスタートしないぞ‼」

異変《いへん》を感じた観客《かんきゃく》の一人がさけんだ。

ゼッケン172番、大きな体の総北《そうほく》高校の田所が立《た》ち往生《おうじょう》していた。

両うではハンドルをしっかりとにぎっている。

マシンにまたがっている。

いつでもスタートできる体勢《たいせい》だが、ペダルに足をのせようとしない。

そのようすを見て、観客《かんきゃく》たちがざわめいているのだ。

スタートラインには、田所を先頭《せんとう》にして、うしろには自分のスタート順《じゅん》を待つ選手《せんしゅ》たちがならんでいる。

田所がスタートしないと、あとの選手がスタートできないのだ。だから、ちょっとした渋滞《じゅうたい》が起こっている。

「どうした総北《そうほく》！　田所！」

「おい、肉弾列車《にくだんれっしゃ》!!」

「具合、わりィんじゃねーか」

「最速《さいそく》スプリンターの証《あかし》、グリーンゼッケンが!!」

と、うしろにいる選手たちから声がかかった。

審判員《しんぱんいん》も異変《いへん》に気づき、田所に声をかけた。

「キミ……もうスタートしていいよ？」

その声を聞いても田所はスタートしない。

顔にはあせがダラダラと流れている。

うつむいたまま、ただ立ちすくむだけだ。

昨日、平坦《へいたん》トップでとった、栄光の172番のグリーンゼッケンが風でひらりとゆれている。

田所は「グッ」と自分のゲンコツで腹《はら》をおしていた。

その拍子《ひょうし》にブルッと体がふるえた。

「ガハハ、わかっていますよ」

と田所はスタートをうながす審判員《しんぱんいん》に答えた。

まず、落ち着いたようすで、フレームにくっつけてあるボトルをはずすと、ゴキュゴキュと飲んだ。そして、
「ブハァー。ガハハ、うしろのやつにハンデをくれてやってんすよ!!」
とみんなに聞こえるようにさけんだ。

しかし、顔色はよくない。青ざめて見えた。

スタート順《じゅん》を待つ他校《たこう》の選手たちは、

「ハ、ハンデー!?」

「ハンデだったのかよ」

「うおお、なめられてるぞ、オレたち」

とさらにざわめいた。

田所はゆっくりとふり返ると、

「さわぐな、雑兵《ぞうひょう》!! このゼッケンがほしけりゃ、いつでも勝負《しょうぶ》してやるよ!!」

と、千両役者《せんりょうやくしゃ》のように大見得《おおみえ》を切った。

「うおお、田所!! 体も態度《たいど》もデカい!!」

そして、

「オレが、総北《そうほく》のグリーンゼッケン、田所迅《じん》だ!! オラッ、オラァァッ!!」

ドオオ
オラアアッ!!
うお速《はえ》ぇ
でけぇ
総《そう》北《ほく》のグリーンゼッケン田《た》所《どころ》迅《じん》だ!!

と、ひとほえすると、客をじらせにじらせた田所はようやく自転車をこぎ始めた。
重量級《じゅうりょうきゅう》機《き》関車《かんしゃ》が動き出したほどの迫力《はくりょく》に、
オオオオオオオオ
「うお速《はえ》え」
「でけぇ」
と観客《かんきゃく》がおどろいた。

「くそぉお、あいつよゆうがあるなぁ」

と、スタート順《じゅん》を待つ選手《せんしゅ》が言った。

「すげーな」

「田所ぉお」


しかし、京都伏見《きょうとふしみ》高校の陣営《じんえい》はそうは見ていなかった。

スタート前に坂道と話した石垣《いしがき》は見のがさなかった。

「田所……少しふるえていた⁉」

となりにいる水田がするどい瞳《ひとみ》で言った
「石垣《いしがき》さん……あいつ……調子《ちょうし》悪いスね……」

レースなれしている強豪《きょうごう》チームは、じょうきょうを冷静《れいせい》に分析《ぶんせき》する。

水田は、遠ざかっていく田所の背中《せなか》を見ながら、

「オレも去年、出たとき、暑さにやられてあんなカンジになってリタイアしたから、なんとなくわかります」

水田はここまで言って、

「こりゃあ、御堂筋《みどうすじ》くんのよみ通り、総北《そうほく》は早々《そうそう》にバラけますね」と予測《よそく》した。

それを聞いていたほかのメンバーも、表情《ひょうじょう》を変えずに小さくうなずいていた——。

田所は苦しんでいた。

ハァ

ハァ

ブルル

ブルブル

スタートして、まだ、いくらも走っていないのに、田所のひざがふるえている。

体がスムーズに動かない。

出るのは、あぶらあせだ。

巻島《まきしま》ぁ‼　すまねぇ‼

田所は、歯をくいしばりながら、心の中でさけんでいた。

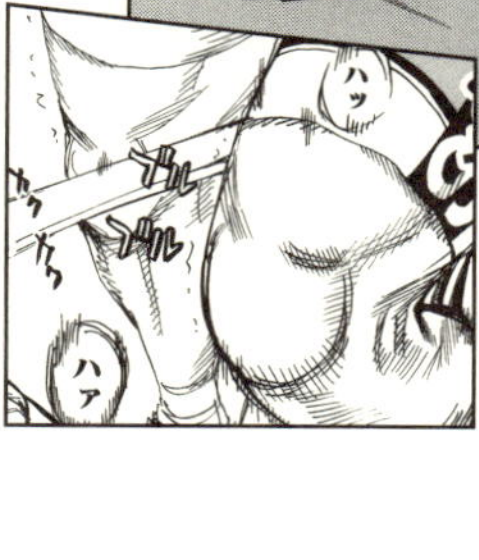

不調《ふちょう》

田所っち……‼

カーブをまがりながら、巻島《まきしま》は虫の知らせを感じていた。

「どうしたんですか、田所さん」

坂道は不安になって、巻島に聞いた。

「メ……メカトラブルですか」

と坂道が口にすると、

「メカトラブルゥ⁉　マジっすか、スタート直後《ちょくご》に？　なにやってんすか

オッサン‼」

と鳴子《なるこ》が早口で反応《はんのう》した。

レースではなにが起こるかわからない。そのことは、歴戦《れきせん》のレース経験者《けいけんしゃ》である鳴子は知っている。その経験をもとに、巻島に問いかけた。

「でも、パンクやったら手嶋《てしま》さんたちがまだ近くにおるから、ホイールごと交換《こうかん》して……いけるんとちゃいますか。ワシらがあるていど待っていたら、オッサンは追いついてきますかね。巻島さん、待ちますか？」

巻島はこまった表情《ひょうじょう》になった。坂道と鳴子はまだ一年生ルーキーだ。ここはレース経験《けいけん》の豊富《ほうふ》な三年の巻島が、判断《はんだん》をくださなければならない。

そこへ、

ドッ

と風圧《ふうあつ》がきた。

総北《そうほく》の三人は、その風の塊《かたまり》におされた。

ゼッケン6、4、5、3――。

箱根学園《はこねがくえん》の編隊《へんたい》が四台、大きなくじらのように三人をぬいていく。

鳴子《なるこ》はあわてて言った。

「あーーっ。オッサンを待っているじょうきょうじゃないっスね!! のんびりしてたら、箱根学園に引きはなされますよ」

巻島《まきしま》はペダルをふみながら、昨日のゴール後に医務室《いむしつ》で田所とかわした会話を思い出していた。

田所はゴール直後《ちょくご》、トイレのうらで立ち上がれなくなり、よびだした巻島の肩《かた》を借りて、医務室に行き、点滴《てんてき》をうけていたのだ。

そのときに田所は巻島に言った。

「もしもの話だ、巻島……」

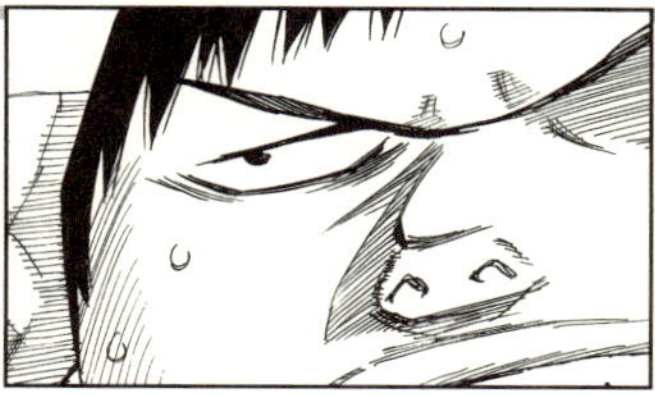

田所はベッドに横たわり、力なく言った。

「もし、オレが明日、走れなくなったら……ロードレースじゃ走れなくなった選手《せんしゅ》はたんなるお荷物《にもつ》だ」

巻島は頭をなにかでなぐられたような衝撃《しょうげき》をうけた。

「チームの足は引っぱりたくはねェ……かまうこたァねェ、おいていけ!!」

そう田所は巻島にだけ打ち明けていた。


回復《かいふく》……できなかったのか……。

巻島はくちびるをかんだ。


今、金城《きんじょう》と今泉《いまいずみ》は三分半ほど前を走っている。

小野田、鳴子、巻島がそれを追ってペースを上げている。

田所がひとり、おくれている。

今、総北はバラバラだ。

チッ。

そして、緑の髪《かみ》をふりみだしてさけんだ。

ショオオオオオオオオ!!!

なんでオレの悪い予感《よかん》はいつも当たるんだ!!!

巻島《まきしま》の心のさけびが聞こえたかのように、

坂道が「田所さん!!」と、

鳴子《なるこ》が「箱根学園《はこねがくえん》が」と反応《はんのう》した。

「どけ小野田!!」

そのすごみのある声に、坂道はおどろいてふり返った。

「今から、このグループはオレが引く‼　小野田は、鳴子をはさんでうしろに回れっショ!!!」

「えっ、は、はい」

総北《そうほく》のならびは、巻島、鳴子、小野田の順《じゅん》に変わった。

箱根学園はもう前に行っている。田所を待っていては引きはなされるばかりだ。

「田所は……おいていく‼」

と巻島がつげた。

坂道と鳴子はびっくりした。自分の心臓《しんぞう》の音が大きくドクンと聞こえた気がした。

巻島の顔は今まで見たことがないような表情《ひょうじょう》だった。

それを見て、坂道は感づいた。

ちがう……巻島《まきしま》さんの感じがいつもとは……。

田所さんは……メカトラブルじゃないんだ……!!

坂道の心臓《しんぞう》が大きく音を立てて打《う》った。

そのころ――――。

田所は、コースのまん中で立《た》ち往生《おうじょう》していた。

ついにこぐのをやめて、とまってしまったのだ。

ハァハァハァハァ

ハァ

ハァ

「二十パーセントくらいしか、力が出ねぇ……!!」

こぶしをおなかに当てた田所は、苦しそうな表情《ひょうじょう》をしている。

「おい、グリーンゼッケンがとまっているぞ!!」

観客《かんきゃく》がさわぎ出した。事件《じけん》だ!

(続《つづ》く)

C O L U M N

これでキミも自転車通《つう》!

007 番外編

坂道たちがレースをくり広げるインターハイのコースを見てみよう。神奈川県《かながわけん》の江ノ島《えのしま》からスタートし、箱《はこ》根《ね》の山を登り、芦ノ湖《あしのこ》で一日目のゴール。お正月の大《だい》学対抗駅伝《がくたいこうえきでん》「箱根駅伝《はこねえきでん》」と同じコースだよ。坂道の落車《らくしゃ》や百人《ひゃくにん》ぬきなどがどこであったのか、たどってみよう。

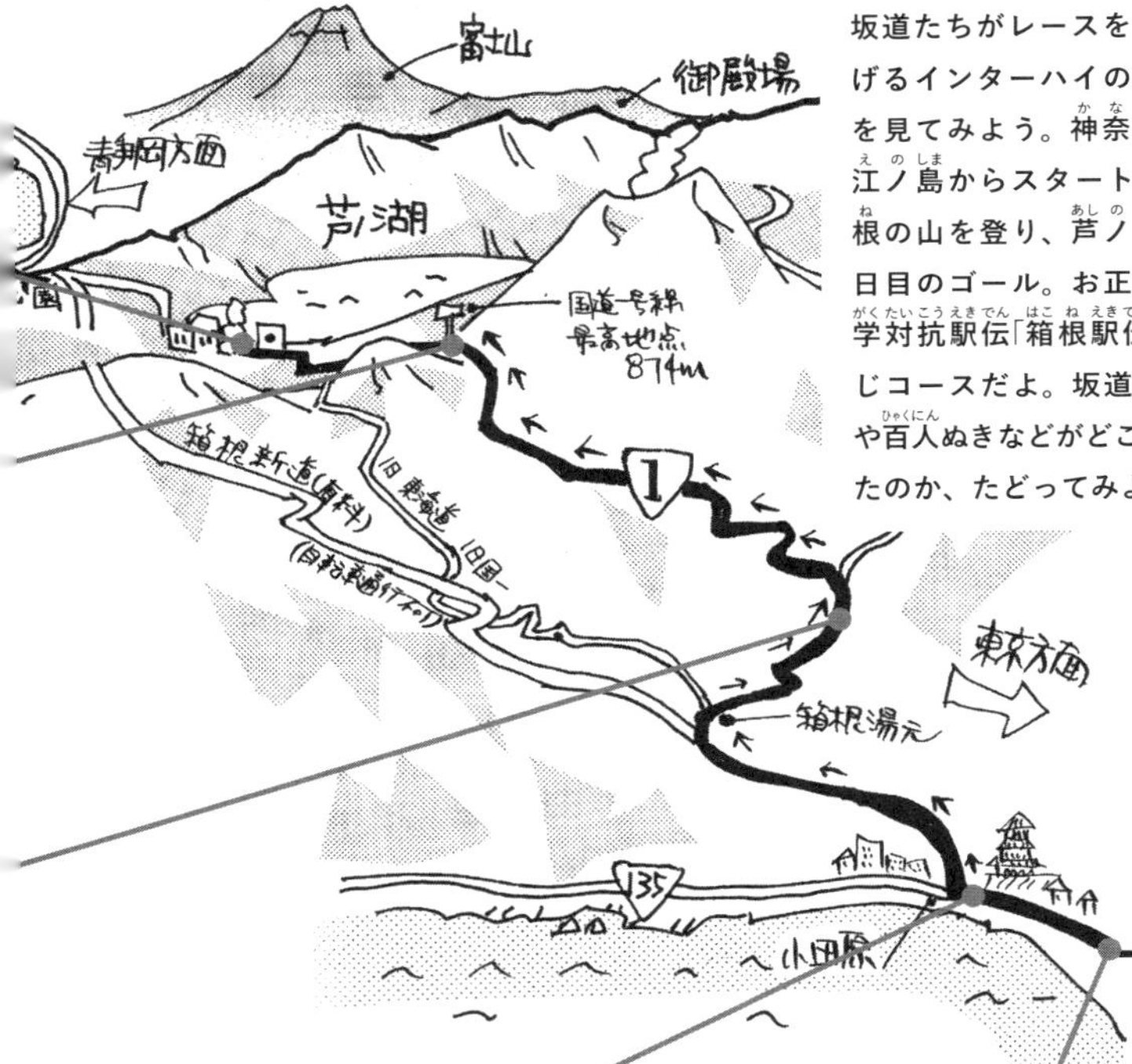

→スタート地点の江ノ島

坂道落車

山が見えた

1日目のゴール

インターハイの歴史に残る熱いゴール前！大接戦《だいせっせん》の三つ巴《どもえ》バトルがくり広げられた。

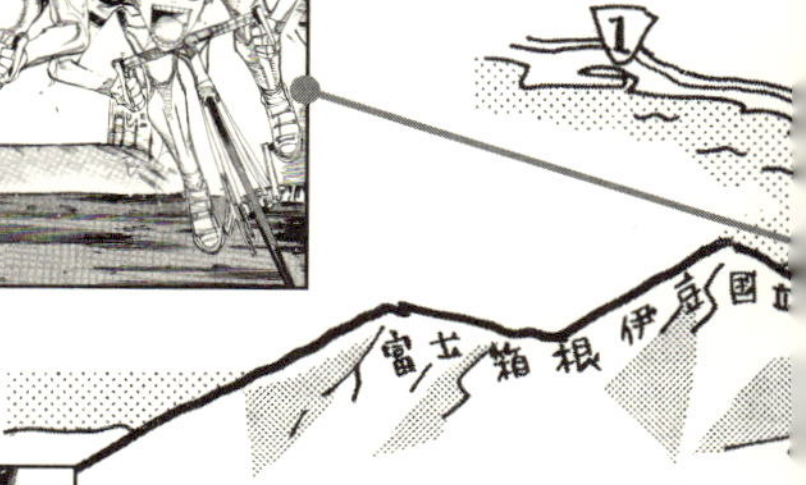

ラストクライム

山岳計測《さんがくけいそく》ポイント。東堂《とうどう》（箱根学園《はこねがくえん》）と巻島《まきしま》（総北《そうほく》）がここでデッドヒートを演《えん》じた。

坂道百人ぬき

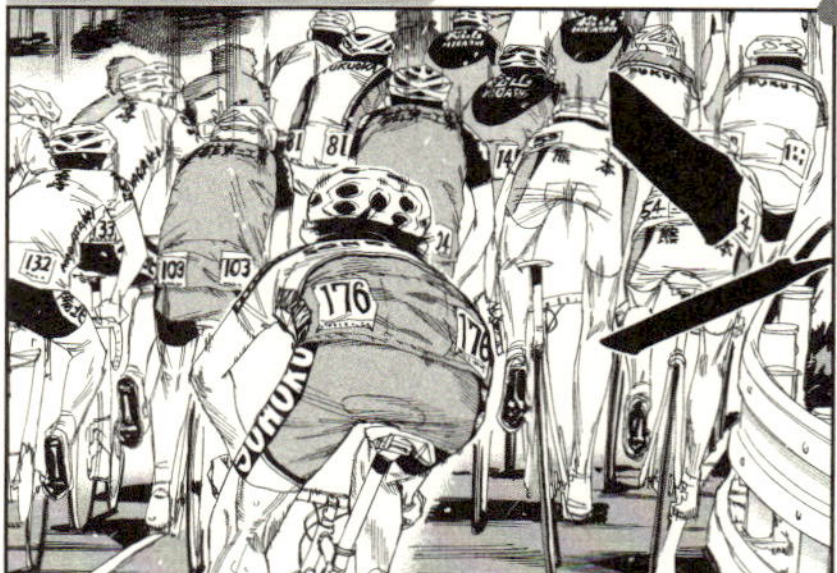

せまい道幅《みちはば》いっぱいに広がった選手たちにこまった坂道。だれもが思いつかなかった奥の手を出した！

[原作者]
渡辺 航（わたなべ　わたる）
漫画家。長崎県出身。MTBやロードバイクなど自転車をこよなく愛し、『弱虫ペダル』の連載を続けながら、多くのアマチュア自転車レースに参戦している。

[ノベライズ]
輔老 心（すけたけ　しん）
ライター。兵庫県出身。『スーパーパティシエ物語』『いやし犬まるこ』（いずれも岩崎書店）など著書多数。

AD　山田 武　　協力　渡邊まゆみ
編集協力　秋田書店

フォア文庫

小説《しょうせつ》 弱虫《よわむし》ペダル7

2021年10月31日　第1刷発行

原作者　渡辺 航
ノベライズ　輔老 心
発行者　小松崎敬子
発行所　株式会社 岩崎書店
〒112-0005 東京都文京区水道1-9-2
電話　03-3812-9131（営業）　03-3813-5526（編集）
00170-5-96822（振替）
印刷・製本所　三美印刷株式会社

ISBN978-4-265-06577-6　NDC913　173×113

Published by IWASAKI Publishing Co.,Ltd.
Printed in Japan

岩崎書店ホームページ　https://www.iwasakishoten.co.jp
ご意見をお寄せください　info@iwasakishoten.co.jp
乱丁本・落丁本はお取り替えします。